Y a-t-il un raisin dans cet avion ?

Raymond Plante

Y a-t-il un raisin dans cet avion ?

roman

Boréal

Maquette de la couverture : *Rémy Simard*
Illustration de la couverture : *Anne Villeneuve*

Dépôt légal : 1er trimestre 1991
Bibliothèque nationale du Québec

Diffusion au Canada : Dimedia

Données de catalogage avant publication (Canada)

Plante, Raymond, 1947-

Y a-t-il un raisin dans cet avion ? : roman
(Boréal Inter ; 13)
Éd. précédente : Montréal : Québec/Amérique, 1988.
Publ. à l'origine dans la coll. : Collection Jeunesse/romans.
Pour les jeunes.

ISBN 2- 89052-393-4

I. Titre.

PS8581.L33Y27 1991 jC843'.54 C91-096171-9
PS9581.L33Y27 1991
PZ23.P52Ya 1991

À Nicole Gravel
pour son cœur qui veille.

1
le gros orteil dans le piège

Il y a des raisins qui se mettent les pieds dans les plats jusqu'au cou. C'est un art. Ces gens-là pourraient faire partie d'un cirque ou former un club privé. Et moi, j'aurais de fortes chances d'être élu président fondateur de ce club-là. Sûr et certain. Pour se noyer dans un plat de nouilles, il n'y a pas deux cornichons comme moi. N'applaudissez pas, ce n'est même pas ma faute. Je suis un naïf. Pas bête, mais naïf jusqu'à l'os. C'est quand je m'arrête pour réfléchir que je me rends compte de ma vraie nature.

Bon, je ne pleure pas là-dessus. On est comme on est. Et moi, que j'imite un moulin à vent en agitant mes bras trop longs ou que je me donne une série de coups de pied dans le derrière, je ne changerai pas d'un poil. Mon gros nez, qui prouve hors de tout doute que je suis sur une branche du même arbre généalogique qu'Omer Gougeon, mon croque-mort de grand-père, trônera toujours au milieu de ma face. Mes indispensables lunettes, qui me rapetissent les yeux comme des trous de suce et me nuisent terriblement quand je veux embrasser une fille, font partie de ma personnalité. Comme ma supernaïveté. Pour monter à bord d'un bateau — ici, je devrais plutôt dire d'un avion — je suis là. S'il ne reste qu'un raisin, je serai celui-là. Pour se mettre les pieds dans les plats, personne n'est aussi agile que moi. Voilà !

Je ne suis pas mort, c'est le principal. J'ai fait un beau voyage... Qu'est-ce que j'écris là ? NOUS avons fait un beau voyage à Paris, c'est ça qui reste important. Mais je me suis plongé les pieds dans les plats. Je m'explique.

À la poly, nous avons écrit et monté une pièce de théâtre que nous sommes allés jouer à Paris, dans le cadre d'un festival étudiant. Je vais vous raconter l'histoire de cette pièce. Jusqu'ici, il n'y a pas de plats. Mais là où je me suis enfoncé les pieds dedans, c'est le jour où, un peu malgré moi, je suis devenu journaliste. Plus précisément : reporter pour *L'Écho des Pays d'en haut*. La pire idée qui ait été conçue par un bipède.

* * *

Clément Gauthier est un numéro à lui tout seul. Pas grand, gros, toujours habillé en blanc ou en jaune. Même en hiver. Quand il fait du ski, il a l'air d'un jaune d'œuf cuit dur qui déboule la pente. Lors des événements importants de Bon-Pasteur-des-Laurentides, il ressemble à une grosse vadrouille qui transpire beaucoup et rit trop fort. À part ça, il est parfait. Sauf peut-être que son complet pâle n'a pas besoin d'être doué de la parole pour nous révéler tout ce que le bonhomme a mangé depuis le début du mois.

Clément Gauthier est le genre d'homme qui prend de la place. Il mériterait facilement le titre de la plus grosse commère de Bon-Pasteur. Il s'en vante. Selon lui, c'est un honneur et surtout la qualité essentielle des grands journalistes. Clément Gauthier est directeur, patron, chef de pupitre et seul journaliste attitré de *L'Écho des Pays d'en haut*. Enfin, je ne sais pas pourquoi j'utilise le féminin quand je parle de lui. Il n'est pas tapette. Il est même marié à la plus belle femme du village, une Américaine qu'il a dénichée au Texas, la plus bronzée des blondes. Preuve que la vie est toute croche par moments. Et qu'il n'y a aucune justice. Snif!

Au mois d'avril, quelques semaines avant notre départ pour Paris, nous avons donné une représentation de *La Craque au cœur* — c'est le titre de notre pièce — devant nos parents et les personnages un tant soit peu officiels de notre patelin. Nous avons reçu des applaudissements, des bravos, des fleurs pour les filles, des claques dans le dos pour les gars... tout ce qu'il faut pour encourager des jeunes à monter une marche plus haut.

Après le spectacle, la grande loge commune était pleine. Les becs et les larmes se présentaient au rendez-vous. On ne s'entendait plus. Quand soudain, au milieu du tumulte, la voix de Clément Gauthier s'est enflée. Il avait quelque chose à dire. Comme il était le seul journaliste à couvrir l'événement, il avait peut-être une question à poser. Les comédiens et leur famille se sont tus. Tous les yeux ont cherché le gros directeur de *L'Écho*. En s'épongeant le cou et le front, le bonhomme a grimpé sur une chaise pour être de la même grandeur que tout le monde.

— Merveilleux ! Tout simplement extraordinaire et génial ! Les filles, les gars, on vous aime ! On est fiers de vous autres ! À Paris, je suis sûr que Bon-Pasteur aura pas à rougir de votre performance. Et puis, pour les Laurentides au complet, vous êtes un gros « plusse ».

Il occupe l'espace, Clément Gauthier. Mais, d'habitude, ce n'est pas lui qui postillonne les plus longs discours. Il se contente de rapporter ce que les gens importants de la place ont dit ou ce qu'ils ont cru dire. Parce que, dans la tête de Clément Gauthier, Bon-Pasteur-des-Laurentides mène une vie très spéciale. En tant que responsable de l'information, il l'organise même à sa façon. Ça fait souvent jaser. Pour lui, c'est ça qui est vraiment positif.

— En vous regardant jouer tout à l'heure, j'ai eu une idée pas mal spéciale, a-t-il poursuivi comme quelqu'un qui a une grande nouvelle au bord des lèvres. Je me suis dit : « Clément, pourquoi tu les accompagnes pas à Paris ? »

Là, quelques murmures ont ajouté un peu de piquant à la situation. Le directeur de *L'Écho des Pays d'en haut* s'est accroché à la mâchoire un sourire « style James Bond » quand il sait qu'il vient de gagner la partie, vers la fin du film.

— Mais je me suis répondu : « Clément, t'as pas assez d'argent pour aller voir les p'tites femmes de Pigalle. » C'est pour ça que j'ai pensé qu'il me fallait accorder ma confiance à un de ces jeunes-là. Bref, j'aimerais qu'un volontaire tienne un journal de bord du voyage, lequel journal serait publié dans *L'Écho*. Comme ça, les jeunes, votre expérience rapporterait à tout le monde et ça serait un gros « plusse ».

Quand on demande un volontaire pour écrire quelque chose, j'ai l'art de me retrouver au premier rang sans trop savoir ce qui m'y a entraîné. La même chose est arrivée ce soir-là.

Mes joyeux complices se sont mis à siffloter et à chercher des mouches et des papillons comme s'il y en avait eu une centaine dans la loge. Moi, beau raisin poli, je continuais à dévisager l'œuf de Pâques sur pattes. Au fond, c'est exactement comme si j'avais levé la main. La vadrouille m'a dit :

— Ah ! François Gougeon ! Je lis dans tes yeux que ça t'intéresse. Vrai ou faux ?

Soulagés qu'on les ait oubliés, les autres participants ont applaudi.

Clément Gauthier aurait mieux fait de lire dans une boule de cristal. Il aurait su que, moi aussi, j'espérais avoir la paix. C'est d'ailleurs ce que j'aurais dû lui répondre. Mais, au lieu d'être direct, j'ai vaguement murmuré une espèce de :

— Euh... bah...

— Bravo ! s'est-il exclamé comme celui qui vient de se rendre compte qu'il a gagné le Lotto. Tu vas devenir mon correspondant officiel. Dis-toi bien que c'est pas de gaieté de cœur que je te délègue à ma place dans la Ville Lumière.

Il aime bien garnir ses phrases de quelques clichés du genre.

— Moi aussi, je me ferais pas prier longtemps pour le faire, ce voyage-là. Vous pouvez pas savoir la chance que vous avez, les jeunes...

Et il a terminé en soulignant qu'il était heureux que j'aie accepté l'emploi bénévole parce que j'étais bon en français et que je tenais un rôle important dans la pièce, « ce qui constitue toujours un gros “ plusse ” que d’avoir un reporter au cœur de l’action ».

Voilà !

*   *   *

Il n’y a pas de manière plus élégante de se mettre les pieds dans les plats.

À notre retour, j’ai rédigé mon article. Il était long, très long. Certainement beaucoup trop long. Clément Gauthier s’est permis de le modifier, charcuter, alléger, désinfecter... appelez cela comme vous voudrez. Il l’a tourné à sa manière. D’après lui, il l’a rendu lisible pour tout le monde. Ici et là, j’avais inséré quelques commentaires plus personnels. Flac ! Ils ont pris le chemin de la poubelle.

— Quand c’est trop personnel, ça intéresse pas tout le monde, s’est-il justifié. Il faut être simple et clair. La poésie trop poussée ou les messages, ça fatigue la masse.

Pas d’accord, j’ai secoué la tête. Clément Gauthier a levé les yeux au ciel. Il m’a déclaré comme s’il était le fils d’un curé ou d’un évêque :

— Écoute, François, je vais te parler d'homme à homme. Il y avait des petits passages qui étaient un peu trop négatifs dans ton journal de bord. Le monde, ce qu'il veut, c'est quelque chose de positif. Dans un journal local surtout. Il y a déjà assez de mauvaises nouvelles à la télé... Personne est content dans le monde, tout le monde veut ce qu'il y a dans la cour du voisin. Ça décourage le peuple, ça. Ce qu'il faut, c'est de lui donner des images positives pour qu'il se dise : « On est capables. » C'est pour ça qu'un journal local, c'est un gros « plusse » dans la société.

Vous avez compris que Clément Gauthier, dit la vadrouille, est un ardent partisan de la théorie du « gros plusse ». Je n'étais pourtant pas négatif. Mon journal de bord était autre chose que le petit bleuet qui a été imprimé dans *L'Écho des Pays d'en haut.* C'est pour ça que je complète l'article ici. Je ne suis pas négatif, juste un peu critique. Ça fait moins fleur bleue et « plusse » vrai.

Je me suis donc mis le gros orteil

dans le piège. Certains animaux sauvages n'hésitent pas à s'amputer pour se libérer. Je ne suis pas maso à ce point-là. Je n'ai qu'à penser à ceux qui mettent le pied sur une gomme déjà mâchée. Il n'y a rien de plus insultant qu'une semelle qui, à chaque pas, veut rester collée au pavé.

Ou plutôt oui. Le pire, c'est encore de mettre le pied dans un tas de merde de chien. À Paris, c'est fréquent. Fréquent parce qu'on ne surveille pas toujours où on marche. Il y a des tonnes de choses à regarder : une vedette à la terrasse d'un café, un clochard étendu au milieu du trottoir, un autre qui vous demande quelques francs, une église, les immenses affiches des cinémas, un musée, une cathédrale, un passant qui se parle tout seul ou une bonne femme qui fait prendre l'air à ses deux chiens, les plus affreux bâtards que vous puissiez imaginer, et qu'elle laisse chier n'importe où... comme tout le monde. Éviter les merdes de chiens à Paris, c'est devenu un sport.

Celui qui a fourré le plus souvent

ses *runnings* dans la merde, c'est Luc Robert. S'il n'avait pas toujours eu l'œil dans sa caméra vidéo aussi.

Mais Luc, c'est Luc. Et le journaliste, c'est moi. Enfin, je croyais que c'était moi.

2
de Mirabel à Charles-de-Gaulle sans fermer l'œil

■ **La troupe de la Poly à Paris**

NOS JEUNES NOUS FONT HONNEUR

Ce n'est pas tous les jours qu'une troupe de théâtre étudiant va jouer en France. C'est pourtant ce qui est arrivé à un groupe de jeunes de notre polyvalente.

Je ne reviendrai pas sur les efforts remarquables qu'ont déployés ces adolescents pour se payer cet enrichissant voyage au pays de nos ancêtres. Pendant toute l'année, *L'Écho* a annoncé chaque étape de ces préparatifs.

Je m'en voudrais cependant de ne pas féliciter encore Mme Diane Labelle, professeur de français et de théâtre, qui a eu l'idée d'un projet aussi merveilleux. Mme Labelle est un professeur comme on n'en rencontre pas beaucoup. Soyons heureux qu'elle communique son savoir à nos jeunes. Si elle avait été là dans mon temps, j'aurais voulu doubler ma douzième année trois ou quatre fois.

Trêve de plaisanteries ! Le voyage, maintenant terminé, a été couronné d'un franc succès. *L'Écho des Pays d'en haut* ne reculant devant rien, j'ai demandé à un fier représentant de nos voyageurs de nous livrer son journal de bord. Ce jeune s'appelle François Gougeon et est le fils de notre maire nouvellement élu, Me Marcel Gougeon. Je vous laisse donc entre ses mains.

L'ÉNERVEMENT DU DÉPART

Jeudi, 5 mai.

Quand on travaille depuis longtemps pour atteindre un but, on a beaucoup de mal à croire qu'on le touche enfin. C'est pourtant ce que nous vivons en ce soir de mai. Nos parents et nos amis sont venus nous souhaiter un bon voyage. Déjà, nous avons le trac en nous demandant si tout cela est possible.

Nous avons hâte de partir. En même temps, nous avons peur. Il est bon d'être entouré des gens que l'on aime lors des grands événements de notre vie. ■

Le rouge me brûle les joues. J'ai de la peine à avaler ma salive. Je cherche mon souffle. Sous mes yeux, dans le populaire *Écho des Pays d'en haut,* Clément Gauthier a réinventé notre départ qu'il ne trouvait vraiment pas « assez positif » à son goût.

C'est vrai, pourtant ! Nous sommes excités. Nous sommes morts d'énervement en cette fin d'après-midi de mai. Il est 17 h. L'avion décolle à 19 h 30. Et nous sommes là, présents à l'aéroport international de Mirabel. Bon-Pasteur-des-Laurentides, Sainte-Angèle et les environs au grand complet.

J'exagère. Mais à peine.

À un moment donné, ce matin, ma valise ne fermait plus. J'avais trop de bagages. Plus tard, ma mère s'est rendu compte que j'oubliais mes bas. J'aurais pu oublier mes pieds, mon nez ou ma tête, je ne m'en serais même pas aperçu. Nous étions trois autour de ma valise : ma grand-mère, ma mère et moi, et on se serait cru une foule. Comme ici... comme dans cette longue file qui n'en finissait plus. Nous y avons pris place avec nos bagages. Devant, une préposée souriante — elle en avait certainement vu d'autres — pitonnait sur son ordinateur. Nous avons obtenu nos sièges. Tout le groupe sera ensemble.

Maintenant, il ne reste qu'à attendre. Une éternité concentrée.

Il y a Anik. Mon ancienne blonde. Anik Vincent porte une espèce de petite pastille de métal derrière l'oreille. Elle ne s'en vante pas. On l'a toujours prise pour une dure, une brave. Maintenant tout le monde sait qu'en avion, elle a mal au cœur.

Anik est accompagnée de ses parents, bien sûr, mais surtout de Patrick Ferland. Lui, il ne part pas. C'est normal, il étudie au cégep. Et puis le théâtre ne l'a jamais intéressé. Il ne vit que pour le sport. Le sport et Anik. Il devrait s'arrêter de l'embrasser.

— Il va s'user le kisser, comme me le marmonne Luc Robert dans le tuyau de l'oreille.

Je ne réponds rien. Je le laisse poursuivre sa route avec sa caméra vidéo devant la figure. Il se prend déjà pour l'œil du voyage. Si je répliquais quoi que ce soit, il s'imaginerait qu'Anik m'intéresse encore. Il se tromperait. Anik ne m'intéresse plus du tout. Si je la regarde de travers, c'est parce que Patrick Ferland m'énerve. Pourquoi ne s'occupe-t-il pas à autre chose ? Je ne sais pas, moi. Lire son horoscope ? Raconter une histoire d'avion qui s'écrase ? Jouer au tic-tac-toe ? Compter le nombre de jours qu'ils vont passer sans se voir ? N'importe quoi plutôt que de s'embrasser à pleines bouches comme ça pour que tout le monde sache qu'ils sont en amour par-dessus la tête.

Moi, je suis étourdi. Pas étourdi comme les gens qui choisissent la foule pour avoir une faiblesse. Pas étourdi comme les raisins qui ne peuvent supporter que leur ancienne amoureuse embrasse un autre type. Je suis un phénomène de discrétion. Non, je suis étourdi parce que je n'ai pas assez de mes deux yeux avec mes lunettes pour suivre tout ce qui se passe. Je n'ai pas assez de mes deux oreilles pour entendre tout ce qui se dit. La musique de fond perdue dans les heures d'attente, les voix de filles d'un autre monde qui appellent les départs ou les retardataires, les babillages, les pleurnicheries, les « fais attention à... » , les « méfie-toi de... » , les ci, les ça. C'est complètement dément. À Mirabel, il y a pourtant amplement de place pour souffler. Pour moi, c'est comme si l'aéroport débordait de monde, de mots, d'images...

Il y a ma mère. Elle n'a pas dormi, la nuit dernière. Aujourd'hui, elle a multiplié les cafés. On croirait que c'est elle qui part. Elle marche comme une poule qui ne sait plus sur quelle patte se tenir.

Il y a mon père. Il est certainement nerveux, lui aussi. Il cache mieux son jeu. Pas d'extravagances, pas de sueurs inutiles. Ça, c'est mon père. Raide comme une brosse à dents. Il regarde partout. Il sourit surtout. Il parle à tout le monde et tend la main dès que l'occasion se présente. Ça, c'est la grande nouveauté. Depuis qu'il est officiellement candidat à la mairie, il a acquis de l'entregent. Oui, dans un peu plus d'une semaine, Bon-Pasteur-des-Laurentides élira un nouveau maire. Et ce sera peut-être Marcel Gougeon, notaire de profession et maire d'ambition. Il parviendra à ses fins au grand honneur de ma mère et de ma grand-mère.

Elle est là, elle aussi. Comme si elle venait aux noces. Elle porte une robe de printemps, un chapeau, du rouge à lèvres trop foncé et son parfum qui empeste. Et puis elle garde l'œil sur Omer. Parce que mon grand-père frétille. L'avenir des Gougeon prend l'avion. Et un rien de nervosité l'entraîne invariablement vers le bar. Il s'éclipse, prétexte qu'il doit aller aux toilettes. Il n'a pas fait trois pas en direction du bar de l'aéroport que grand-mère l'apostrophe.

— Voyons, Omer, des toilettes, il y en a là. Tu vois pas le petit bonhomme sur la pancarte.

— Oui, mais j'en connais des plus tranquilles.

Et il s'éloigne. Ma grand-mère conserve sa dignité. Elle ne courra pas derrière lui, mais, dans l'auto, en retournant à la maison, Omer va se faire parler dans le casque. C'est garanti.

Ah ! la famille ! Je donnerais tout ce que j'ai, excepté peut-être mes lunettes sans lesquelles je ne verrais plus rien, pour qu'elle déguerpisse. Oui, si tout le monde me donnait son petit bec et me disait :

— Au revoir, François. Fais un bon voyage. Et puis, écris-nous souvent.

Je me sentirais soulagé.

Mais ils restent, s'accrochent. Je sais qu'ils vont tenir le coup jusqu'à la dernière des dernières minutes. Et ils sont plusieurs dans le même cas. Nous sommes tous accompagnés de nos parents. Seul Luc est venu avec les parents d'Andréa Paradis, sa blonde. Cela confirme peut-être ce que ma mère me répète quotidiennement : les parents de Luc ne s'occupent pas de lui. Des fois, moi, ça me soulagerait tellement si les miens m'oubliaient pendant deux ou trois semaines. Mais non. Ils sont de trop bons parents.

Nous sommes en train — drôle

d'expression dans un endroit où il n'est question que d'avion — de constituer la plus grosse foule d'énervés à avoir envahi l'aéroport international de Mirabel. Ce n'est pas tous les jours qu'une troupe de théâtre étudiant s'en va en France.

Caroline me fixe de loin. Moi, je ne la regarde pas. Je sens ses yeux sur ma nuque, ses yeux qui me demandent de lui sourire. Mais je n'ose pas me retourner. Sa mère la bourre de recommandations.

Pendant les onze prochains jours, Mme Corbeil ne connaîtra pas une minute de tranquillité. Pour elle, la France est un lieu de perdition où les hommes n'attendent que sa fille pour lui sauter dessus. Pourtant je suis là. Je pourrais la défendre. Ou, du moins, essayer de faire peur à un achalant. Il me semble qu'à nous voir, même un Français très don Juan comprendrait que cette fille-là est avec moi. Mais c'est inutile. Mme Corbeil ne m'estime pas du tout. Dans son esprit, je suis pire que les Français. Depuis qu'elle sait que sa fille et moi avons fait l'amour de temps à autre, elle me tient pour le dernier des crétins.

Et voilà Clément Gauthier. Selon son veston blanc, il a mangé un spaghetti aux tomates et a bu du vin rouge. Il a emmené le curé Fortin dans sa voiture. Un autre qui ne voulait pas manquer notre départ. Il espérait peut-être qu'à la dernière minute, Moins-Cinq lui demande de nous bénir. (Moins-Cinq, c'est le nom que j'avais trouvé à Diane Labelle, l'an dernier. Maintenant, on oublie qu'elle a le cou croche. On l'appelle Diane les trois quarts du temps.) Et le curé s'est foutu un doigt dans l'œil. On ne lui demandera rien et il se défilera. Il finira bien par accompagner Omer au bar.

Clément Gauthier joue son rôle. En se plaignant de la chaleur insupportable, il questionne vaguement Diane au sujet du voyage. Il se doute bien qu'il n'arrivera rien d'inattendu. Il se fout un doigt dans l'œil, lui aussi. C'est visible, Diane le trouve casse-pieds. La vadrouille ne prend même plus la peine de chercher des questions intelligentes.

Il entretient ceux qui veulent l'écouter de ses propres expériences personnelles : Notre-Dame-de-Paris, la tour Eiffel, les Champs-Élysées, le Lido et ses danseuses aux seins nus... Il devient lourd comme son propre poids. Je l'imagine levant les jambes aux Folies-Bergères. Moins-Cinq me le refile.

— Oublie pas de prendre des notes.

J'acquiesce.

— Et des photos.

— Les photos, c'est Luc Robert qui s'en occupe.

— Ah oui, c'est vrai !

Il oublie tout, comme il doit oublier l'anniversaire de sa femme, sa cigarette sur le bord d'une table de bois et son dentier au fond d'un verre d'eau.

— Prends des notes, me conseille-t-il. Après on a moins de chances d'oublier. C'est la base du journalisme, les notes.

Et lui, il ne prend rien. Il n'écrit pas un traître mot. Encore une fois, *L'Écho* aura droit à un article de son cru. Des propos inventés, des salutations, des félicitations et le vide total dans le fond. Je ne m'en fais pas pour autant. Je serai loin. Dans quelques heures, j'atterrirai dans la vieille Europe.

Ma mère veut que nous allions prendre une bouchée à l'affreuse cafétéria. Je n'ai pas faim. Ni soif. Je suis engourdi. Je ne peux pas leur dire d'aller manger à la maison. Ils sont tellement excités. Je pars à la découverte du vaste monde.

Mme Corbeil salue enfin ma mère. Elles ne se saluaient plus depuis un certain temps. Des bouderies de parents.

Enfin, je dis enfin. Oh joie ! Bonheur ! Incroyable ! Une voix douce prie les voyageurs en partance pour Paris par le vol AC 170 de se présenter à la barrière 26. Nous y courons, ventre à terre.

Il faut d'abord embrasser tout le monde. Mon père me tend la main et me tape un clin d'œil. Il doit être ému, ce n'est pas dans ses habitudes. Ma grand-mère m'embrasse en me disant de faire attention aux sièges de toilettes. Puis ma mère m'embrasse. Elle pleure. Comme si je partais pour toujours. Elle pleure. Comme Omer qui sent le gin. Nerveux, il me met la main sur l'épaule. C'est sa manière de me bénir. Son autre main serre la mienne à la casser. Je sens une boule de papier. Sur la route du bar, il a dû s'arrêter au comptoir d'échange de monnaie. Il me chuchote :

— Tu boiras quelque chose de bon à ma santé.

Ils me regardent partir. Je me sens mal. C'est la première fois que je m'éloigne d'eux, que je serai à l'autre bout du monde. C'est la première fois aussi que je me rends compte que je suis peut-être leur avenir. C'est fou, c'est bête comme la lune. Depuis deux heures, je souhaitais qu'ils foutent le camp. Maintenant, j'ai l'impression de les aimer.

Je me dépêche, je ne veux pas les regarder longtemps. Je leur envoie la main et je passe rapidement de l'autre côté des portes vitrées.

À la fouille des bagages à main, j'ai la chance de ne pas faire sonner le détecteur de métal. Ce n'est pas comme Luc qui est bourré de chaînes. Il a l'allure d'un vrai contrebandier.

Caroline Corbeil s'approche de moi. Elle me dit :

— Enfin...

Je souffle :

— Oui.

Elle serre mon bras très fort.

Une fois dans l'immense salle d'attente où les boutiques hors taxes nous invitent, je lève les yeux. La famille est là-haut, sur la mezzanine, à agiter la main dans un dernier bye-bye. Je les imite.

Enfin, nous sommes appelés. Il faut présenter nos cartes d'embarquement.

À l'intérieur du 747, c'est la pagaille. Comme si nous nous étions retenus. Comme si, depuis des heures, nous avions joué sagement notre rôle. On se crie après. On dérange vraiment les habitués. Chacun gagne son siège.

Nous y voilà ! On ne peut plus retourner. Il est trop tard.

Une musique affreuse tente d'accompagner l'événement. C'est censé être du classique. Mais la bande est étirée et ressemble à n'importe quelle plainte sauf à la vraie musique.

Nous décollons. Adieu Mirabel. Adieu famille. Adieu Québec.

* * *

En septembre, la première fois que Moins-Cinq a parlé du projet, toute la classe s'est tue. Même les plus durs que rien, à part les exploits de Rambo, n'intéresse. Même les plus bavards qui parlent pour rien et n'osent même plus s'écouter. Même les plus épais que rien ne changera. Mais, allez savoir pourquoi, quand le moment est important, on dirait que ça se sent.

Imaginer une bande de jeunes de cinquième secondaire à Paris, c'était incroyable. Personne n'ouvrait la bouche. Moi, encore moins que les autres. Un silence de mort. Tellement que Moins-Cinq a dû nous secouer :

— Réveillez-vous ! Est-ce que ça vous intéresserait de voir Paris ou si je laisse tomber ?

En même temps que les autres, je me suis réveillé pour crier :

— Ouiiiiiii.

Nous ressemblions à des ti-culs de

quatrième année à qui on promet la Ronde ou un film le vendredi après-midi.

— Je vous ai pas demandé de vous exciter comme ça. Je voulais simplement savoir si vous étiez réveillés.

Là-dessus, Pierre-Paul Bernier, le responsable de la ligue d'improvisation, s'est levé. Il a dit comme ça :

— Mme Labelle m'a parlé du projet il y a deux jours. En mai, il y a un petit festival de théâtre étudiant à Paris. Si on montait une pièce qui a du bon sens, on pourrait peut-être s'y présenter.

Monter une pièce de théâtre. Il proposait cela comme s'il avait parlé de tapisser la classe ou d'aller faire une visite au Jardin botanique. Mais, au lieu de poser des questions utiles, tout le monde a hoché la tête. Nous étions déjà dans le bateau. Nous étions prêts à tout pour aller à Paris.

Voyager nous intéresse toujours. Moins-Cinq aurait parlé de Bruxelles, de Lima, de Séoul ou d'Istanbul que nous aurions été d'accord. Nous devenions déjà des voyageurs, des aventuriers fabuleux. D'accord nous n'avions pas encore sorti un orteil de nos pantoufles, mais nous avions notre petite idée là-dessus. L'avenir, le monde entier nous attend. Il suffisait de nous donner un coup de pouce pour que nous prenions notre envol. Il a été décidé que nous discuterions de la façon de gagner notre voyage dès le prochain cours de français.

Parce qu'il faut bien le dire, ce voyage-là ne nous tomberait pas du ciel comme une assiette de frites. Il faudrait le payer. Stéphanie Lachapelle, qui devient critiqueuse avec le temps, déclarait avec une moue que c'était impossible de gagner un voyage. De monter une pièce aussi.

Moi, je me disais que ma mère et mon père trouveraient le projet cinglé.

Je me trompais.

En entrant à la maison en ce beau soir de septembre, quand j'ai simplement laissé tomber :

— Paraît qu'on pourrait aller en France.

Pauline Lacoste, ma mère, a relevé

la tête de la revue de mode qu'elle était en train de feuilleter, même si elle n'est jamais à la mode.

— Qui ça « on » ?

— Nous autres, j'ai répondu. Les élèves de secondaire 5. Un petit groupe en tout cas. La classe de théâtre.

À mon plus grand étonnement, elle a souri :

— Toi, tu irais en France ? C'est merveilleux, François.

— Tu... tu trouves ?

— Bien sûr, pour une fois qu'il y a un projet intéressant à ton école.

Elle a toujours désapprouvé l'enseignement public. Il y a cinq ans, ma mère souhaitait que mon père m'inscrive dans le privé. Mais, comme il n'y a pas de collège dans les Laurentides, ma mère a finalement accepté que j'aille à la polyvalente où, selon elle, je perdrais mon temps. Et voilà que la même polyvalente nous proposait la France. C'était extraordinaire.

Énervée, elle a sorti des photos du voyage qu'ils ont effectué, mon père et elle, il y a sept ans. Elle voulait que je m'intéresse à tout cela.

Bon. D'accord. Moi, je voulais bien aller à Paris. Je voulais bien connaître la France. Mais à quel prix ? Je ne pensais évidemment pas à l'argent. Je pensais à la pièce qu'il faudrait monter et aux travaux qu'il faudrait exécuter pour amasser l'argent.

* * *

Sur l'écran devant, Sylvester Stallone, qui pour la quatrième fois s'appelle Rocky, s'entraîne pour battre un méchant Russe.

Dans mes écouteurs, Charles Dutoit dirige l'Orchestre symphonique de Montréal dans *Le Boléro* de Ravel.

Dans mon esprit, les éléments cherchent à prendre leur place comme dans les casse-tête de mes douze ans.

Dans l'avion, ceux qui vont en Europe pour la cent trente-huitième fois sont sérieux, détendus. Ils dorment ou font semblant. Moi, je ne peux pas.

Je suis contre un hublot. Quelques minutes après le décollage, j'ai eu l'impression de saisir un morceau de rêve bleu. Dans la clarté, nous avons atteint cette altitude où les nuages forment un tapis et où rien ne vient contrarier le bleu du ciel. J'étais quelqu'un comme un oiseau.

J'aimerais lire. Je ne peux pas. Il y a trop de choses pour me distraire. Ce film qui défile à l'écran, complètement absurde sur *Le Boléro*. Il y a Luc, qui de temps à autre, quand une idée de génie le prend, arpente l'allée, la caméra vidéo sur l'œil. Depuis qu'il fait noir, il s'est calmé. À part Anik — mais on raconte que c'est à cause de la pastille derrière son oreille — personne ne ferme l'œil de Mirabel à Charles-de-Gaulle. La vie devrait prendre un raccourci du Québec à Paris.

3
le décalage horaire et des pinottes

PARIS EST LÀ

Vendredi, 6 mai.

Nous passons d'un jour à l'autre sans vraiment avoir vu la nuit. Elle était occupée à se dérouler en sens inverse. Nous l'avons croisée. Pour la plupart d'entre nous, c'est la première fois que cela nous arrive.

L'envolée s'est déroulée sans incident.

À l'aéroport international Charles-de-Gaulle, nous avons passé la douane et récupéré nos bagages sans peine.

Dans l'activité de l'aéroport, nous nous sentons déjà étrangers. Pas tellement parce que nous arrivons d'un autre continent, et que nous rencontrons des gens des quatre coins du monde. Mais surtout parce que nous venons d'un autre fuseau horaire. Chez nous, il est deux heures du matin. Ici, les gens commencent leur journée. À huit heures, c'est normal. En fait, nous sommes encore en pleine nuit.

Notre car nous attend. Je ne sais pas pourquoi nous sommes tous surpris de monter à bord d'un véhicule tout à fait moderne. Peut-être certains d'entre nous s'attendaient-ils à prendre place dans un vieil autobus brinquebalant parce que nous arrivons dans un vieux pays ?

Il faut environ une demi-heure pour faire la route de Roissy à Paris. Le temps est chaud, le soleil radieux.

Enfin Paris est là. Nous atteignons notre hôtel. Il s'agit d'un petit hôtel de sept étages situé dans le 6e arrondissement. Plus précisément dans une rue qui est à peine plus longue que son nom, la rue Casimir-Delavigne. Nous logeons quatre par chambre. Mme Labelle partage la sienne avec son mari qui nous accompagne. Mme Langlois, notre professeur de morale, fait aussi partie de l'expédition. Elle est seule dans sa chambre. ■

Clément Gauthier a dû se sentir très fier du dernier passage. Il a réussi à glisser les noms de nos accompagnateurs. Dans mon texte, je ne leur avais pas consacré beaucoup d'espace. Pas par oubli, mais surtout parce que, sans le vouloir, ils n'ont pas joué un très grand rôle. Gauthier tenait à leur rendre hommage. Heureusement, il n'a pas osé ajouter qu'Irène Langlois couchait seule parce qu'elle est une ancienne religieuse. Avec le délicat Gauthier, on peut s'attendre à ce genre de réflexion.

Il aurait aussi pu noter que, dès le deuxième jour, le décès de son père a forcé madame Langlois à revenir au Québec. Diane Labelle nous a alors fait promettre de nous comporter comme des gens responsables. Nous avons promis, main sur le cœur. Juré craché ! Pour le reste du voyage, Diane et son mari ont joué les bons parents qui laissent beaucoup de corde. On aurait pu croire qu'ils faisaient un deuxième voyage de noce. Personne ne s'est plaint de la chose.

Pour en revenir au jour de notre arrivée, c'est complètement idiot d'avoir parlé du « temps chaud » et du « soleil radieux » qui font très composition française. Le temps était lourd, il avait plu et il pleuvrait encore.

Mais j'avais d'autres préoccupations. Mon estomac.

Je n'aurais pas dû prendre le petit déjeuner qu'on nous a servi dans l'avion. Je n'aurais pas dû boire tout le café. J'ai l'estomac qui gargouille. Je commence à avoir mal au cœur. Ce n'est pourtant pas le moment, ni l'endroit.

Anik Vincent se réveille. Elle semble à côté de ses souliers. On attend nos bagages. Ça prend une éternité.

Luc a toujours sa caméra en action. Un peu avant l'atterrissage, en voulant nous filmer alors que nous tentions de nous dégourdir, il a donné un coup de coude sur le crâne d'un Anglais. Il s'est fait vertement semoncer dans un français cassé à la torontoise. De quoi mettre sa carrière de cinéaste en berne. Mais il faut plus qu'un Torontois braillard pour ébranler Luc Robert. Il s'est caché pour nous filmer quand nous passions devant les agents de la douane qui ont estampillé nos passeports.

Maintenant, nous attendons nos bagages et sa caméra fonctionne toujours. Andréa le regarde de travers. Elle commence déjà à en avoir soupé d'accompagner un caméraman... et pourtant nous ne sommes que le matin.

Anik a l'air un peu froissé. Elle vit au ralenti. Même que, appuyée à un petit chariot, elle dort debout.

Moi, je suis vert. Je ne me suis pas vu dans un miroir, mais je suis certain d'avoir le teint d'une limette. Vous savez, je me sens comme à la fin d'un party, quand le jour se lève, qu'il est cinq ou six heures du matin et qu'on n'a pas fermé l'œil... et qu'on a un peu bu... et qu'on se sent des tristesses grosses comme la planète.

Et puis tout le monde est énervé encore. J'ai hâte que cette sensation tombe. Caroline, par exemple, ne s'arrête pas de parler. On pourrait croire qu'elle veut faire un discours.

Pour le moment, tout se déroule tel qu'on l'a prévu. C'est mieux ainsi. Parce que, le seul imprévu qui aurait pu arriver, c'est que l'avion s'écrase. Si c'était arrivé, on ne serait plus là personne pour raconter l'aventure. Et nos parents ne recevraient jamais les cartes postales vite remplies de pattes de mouches indéchiffrables.

On est vivants, à moitié morts de fatigue, mais vivants et nerveux, c'est le principal.

Une fois, les bagages récupérés, on se rend au car qui nous attendait. Paris. Paris n'est pas loin. Dans une trentaine de minutes, nous aurons son ciel au-dessus de nos têtes, qu'il soit lourd ou pas. Le car roule doucement même si parfois je m'imagine qu'il prend des vagues. Le mal de cœur me reprend. Les croissants me font des misères. Je n'aurais pas dû, je n'aurais pas dû. Je me répète inlassablement la même phrase comme si cela pouvait me faire du bien. Je tente de porter mon attention sur n'importe quoi. Il faut que je détourne mes pensées de mon mal de cœur.

Tiens, la route vers Paris n'est pas aussi belle que je le prévoyais. J'ai mal au c...

Tiens, Diane Labelle raconte ce qu'elle a ressenti la première fois qu'elle est venue ici. J'ai mal...

Moi, quand je rappellerai ma première fois, je parlerai de mon mal de cœur. Mes enfants et petits-enfants me trouveront plat à mourir et... Et je devrais dormir. Reprendre mes rêves où je les ai laissés. Ça fait huit mois que je rêve à ce jour d'aujourd'hui. Nous sommes un paquet de rêveurs. Luc nous assomme avec sa caméra.

Certaines personnes ne vivent vraiment leurs voyages que lorsqu'ils regardent les photos. Moi, je voudrais que ce soit autrement.

Oui, on a rêvé... on a rêvé...

* * *

Le malheur a un moteur. Il s'appelle Luc Robert. On l'a reconnu dès notre première activité pour trouver des fonds. Parce que c'est bien beau rêver, mais il fallait le payer notre voyage.

Diane Labelle l'a dit lors de notre première rencontre :

— Les choses qu'on apprécie le

plus, c'est celles que l'on s'est gagnées.

Eh bien ! On a retroussé nos manches. Depuis septembre, le temps a passé comme l'éclair. J'ai l'impression que j'ai maigri de trois ou quatre kilos. Pourtant je n'ai pas de graisse à perdre. Mais ça vaut le coût, quand on a un projet.

Bon. Notre objectif était assez simple. Il fallait trouver 37 000 $. Des pinottes ! Ouais...

Mais ce n'était pas tout. Il fallait aussi trouver une pièce à présenter. La trouver, ce qui demande une foutue recherche. Ou l'inventer, ce qui demande de se creuser le citron. À la majorité, la classe a choisi de se creuser le citron. Ça, c'est une partie de l'aventure. J'en parlerai plus loin.

Le premier problème, comme partout dans le monde, était de trouver les sous. Et c'est là que nous avons connu le vrai visage de Luc Robert. Celui par lequel le malheur arrive. Oui, mais ce qui est encore plus dramatique, c'est que le seul qui n'a pas admis la chose, c'est Luc Robert lui-même.

Luc avait juré :

— Moi, les motos, c'est fini.

Il avait raison. Sa Yamaha RD 350 lui avait coûté les yeux de la tête. Sans compter les soucis. À chaque tournant de la route, la panne le guettait. La panne le poursuivait. La panne finissait toujours par le rejoindre. Il aurait fallu qu'il se cache avec son engin au plus profond d'un grenier pour ne pas tomber en panne. En fait, le seul moment où sa moto n'était pas en panne, c'est quand elle était entreposée. Là, Luc pouvait entretenir des doutes. Il pouvait s'imaginer qu'il n'aurait qu'à la caresser pour qu'elle démarre sans rechigner.

— O.K., c'est vrai. J'avais frappé un citron. Je m'en suis aperçu à mon accident.

Andréa Paradis était d'accord. De toute façon, s'il voulait qu'elle recommence à sortir avec lui, Luc devrait choisir un autre moyen de locomotion. En attendant de se procurer un hélicoptère ou un petit Cesna, il a opté pour l'automobile. La bonne vieille automobile.

Et avant de parader dans une Rolls ou, plus modestement, dans une banale Mercedes, Luc s'est trouvé une BMW. Une BMW usagée, bien sûr. Très usagée. Il a lu les petites annonces de *La Presse*. C'était l'affaire du siècle. Il a sauté dessus à pieds joints.

Le dernier samedi de septembre, nous tenions notre première activité de fond. Un lave-auto à la main devant le centre de loisirs de Bon-Pasteur. Et ce samedi-là, le premier client a été nul autre que Luc Robert. Il est apparu au volant de sa BMW. Il était content, Luc, très content de nous montrer sa nouvelle acquisition. Le silencieux était crevé, elle faisait un bruit d'enfer. Mais qu'est-ce que c'est, un bruit d'enfer, quand une BMW vous emmène au paradis ? C'est donc comme sur un nuage que Luc, qui était alors aux petits oiseaux, a éteint le moteur « toussoteux » de sa superbagnole devant la porte du chalet.

Elle était d'un beau blanc sale. Blanc et rouille à bien y penser. Pierre Jodoin, qui n'a pas encore pu réussir ses examens de conduite, n'a pas manqué l'occasion de déverser son fiel :

— C'est pas facile, Robert. On dirait qu'on lave une passoire.

— Bien non, c'est plus facile. Il y a moins de carrosserie qu'il y a de trous, ai-je ajouté.

— Vous devriez me charger moitié prix, a conclu Luc qui commençait à en avoir plein son chapeau de nos farces plates.

Bon. On a exécuté notre boulot. Arroser l'auto malgré les plaintes de Stéphanie Lachapelle qui trouvait qu'on la prenait trop souvent pour cible. Il est vrai que son t-shirt mouillé lui collait si bien à la peau qu'à elle seule, elle nous a certainement attiré plus de clients masculins que nos petites pancartes au crayon feutre.

Ensuite, c'était le savonnage à la main. Les filles comme les gars, tout de suite, tout le monde s'est mouillé. Par chance, il faisait chaud. Plusieurs portaient leur maillot de bain. Personne n'était en habit.

Nous avons gaspillé un temps fou

sur la BMW de Luc, que nous avons ensuite asséchée en espérant ne pas nous faire mal ou déchirer notre chamois sur les trous.

Il commençait à y avoir une file d'attente. Il avait mouillé toute la semaine et les gens voulaient profiter de notre travail.

Luc est monté dans sa voiture. Paf ! Le moteur n'a jamais voulu démarrer.

Il est ressorti comme une balle. Il a crié :

— Qui est-ce qui m'a joué un tour ?

Nous nous sommes tous regardés. Personne n'a répondu. J'ai osé dire :

— Dis-moi pas que tu t'es encore fait passer un citron ?

— Je vais t'en faire, moi, un citron. Cette auto-là était en parfait ordre, il y a cinq minutes.

Luc a accusé Pierre Jodoin d'avoir arrosé son moteur. Ils auraient pu en venir aux coups. Finalement, la voiture bloquait la place et nos clients s'impatientaient. Nous n'étions quand même pas pour rater notre voyage en France à cause de la BMW de Luc Robert. Ensemble, nous l'avons poussée. Pendant le reste de la journée, la célèbre auto est restée à côté du chalet, à peine en retrait. Chaque fois qu'il avait un moment libre, Luc essayait de la faire démarrer. Le moteur ne voulait rien savoir. Et il a fini par mettre la batterie à plat. À la fin de l'après-midi, la BMW n'émettait plus le moindre son contrariant. Elle était silencieuse comme une morte.

Une fois de plus, le malheur s'était accroché à la chemise de Luc. Mais ce n'était qu'un début. En cette journée de lave-auto, Luc s'était donné un rôle. C'est lui qui devait déplacer les automobiles. Dans un premier temps, Anik Vincent et Andréa Paradis arrosaient le véhicule. Ensuite, nous étions une dizaine à le savonner. Après un dernier rinçage, Luc devait avancer la voiture plus loin pour que dix autres bipèdes l'assèchent.

Ce qui devait arriver arriva. Luc a accroché l'aile de la Ford Century de M. Picard, le propriétaire de la papeterietabagie-etc. Presque rien, en somme. M. Picard a eu plus de peur que sa voiture n'a eu de mal. Mais c'était assez pour que l'on cherche un autre chauffeur. Luc était humilié. Il n'aime pas plus les pannes personnelles que les pannes d'auto. On l'a recyclé dans le rôle d'essuyeur. Il a gueulé, chialé, dit que la France, ça ne l'intéressait pas. Et il a essuyé les autos sans les abîmer, ce qui devient parfois un exploit dans son cas. On n'a pas voulu le mettre sur l'aspirateur. Des plans pour que l'appareil tombe en panne.

37 000 $! Des pinottes !

Et puis le chocolat a commencé à me sortir par les oreilles. Qu'est-ce que le chocolat vient faire là-dedans ? Simple. En octobre, il fallait vendre des tablettes de chocolat. Des tablettes de chocolat aux amandes.

Ma mère a sursauté.

— Toi, François Gougeon, si tu t'imagines que tu vas faire du porte à porte, tu te trompes.

— Comment je vais les vendre, dans ce cas-là ?

Ma grand-mère qui, cet après-midi-là, prenait le thé avec maman, a levé le doigt :

— Ton grand-père et moi, on va acheter la moitié de ta caisse.

Et ma mère de renchérir :

— Et nous, l'autre moitié.

C'est comme ça que je me suis mis à manger du chocolat à ne plus en voir clair. J'avais l'impression d'en avoir dans les oreilles, dans les lunettes, sur le nez. À la maison, personne ne voulait manger de chocolat. La caisse était pour moi en entier. Quand j'ai eu assez mal au cœur, j'ai fini par devenir un distributeur de chocolat gratuit. Je me promenais avec deux ou trois tablettes dans les poches ou dans mon sac d'école. J'en donnais à tout le monde. Luc m'a dit :

— T'es cave. Pourquoi tu les revends pas ?

Moi, faire du porte à porte ? Allons donc. Luc était dans les patates. Et je devais en convenir, j'étais gâté. Toute la famille s'est mise à me donner de l'argent pour mon voyage. On aurait dit que j'avais organisé un concours pour savoir qui m'en donnerait le plus. Je ne le crierais pas sur les toits, mais c'est quand même vrai. Je suis pourri.

Par chance, je n'ai pas hérité des sacs à ordures. Parce que, après les tablettes de chocolat, il a fallu vendre des caisses de sacs à ordures. Encore une fois, le salon mortuaire d'Omer Gougeon, le bureau de notaire de Marcel Gougeon, les maisons privées de ma mère et de ma grand-mère ont fait provision de gros sacs verts pour la prochaine décennie. Des sacs à ordures, nous en avons encore pour les fous comme pour les sages. On pourrait recouvrir la maison au complet et la mettre à la poubelle sans que personne ne s'en rende compte.

Il y en a d'autres pour qui la vente n'était pas aussi facile. Anik par exemple. Elle n'a jamais pu vendre plus qu'une quinzaine de tablettes de chocolat. Même chose pour les paquets de sacs de polythène verts. Presque rien. Son tennis mangeait tout son temps. Son tennis et Patrick Ferland. Depuis qu'elle lui était revenue, il ne voulait pas la laisser d'une semelle. C'est un gars très possessif, Patrick Ferland. Si j'avais été plus possessif, Anik serait peut-être encore avec moi. Mais nous sommes tellement différents que ça ne pouvait pas marcher comme me le disait ma mère. Ma mère est souvent dans les patates. Même quand elle a raison dans certains cas, elle devient fatigante. On n'a pas le goût de lui donner raison. Elle le dit trop.

Pour en revenir à Anik, Diane Labelle lui a clairement signifié que sa participation aux travaux pour ramasser les fonds laissait à désirer.

— Ceux qui font pas leur part vont rester ici, c'est tout.

Anik avait la face longue. Ce qui lui fait bien quand même. Quel que soit son air, elle est jolie. Patrick Ferland devait jubiler. Il souhaitait certainement qu'Anik reste au Québec. C'est un égoïste de la pire espèce.

Caroline aussi éprouvait de sérieux ennuis. Surtout lors de la campagne des sacs à ordures. Avec son travail au vidéoclub, elle n'avait plus le temps de vendre sa quantité minimale.

— Laisse-moi faire, lui ai-je proposé.

C'est ainsi que j'ai fait du porte à porte. C'est ainsi que je suis arrivé face à face avec ma grand-mère. Parce qu'elle était en visite chez une de ses vieilles amies où elle était venue commérer au sujet du maire de Bon-Pasteur. Le maire de Bon-Pasteur-des-Laurentides avait fait une crise cardiaque. Il était mêlé à différents trafics de ventes de terrains... truc illégal. Il faut un bon cœur pour être bandit.

Mon père suivait le dossier de près. La réputation du maire pourrissait de semaine en semaine. Son cœur a fini par lâcher.

La mort du bonhomme apportait deux conséquences joyeuses aux Gougeon. Chacun prend son bonheur où il le peut... Et quand c'est du bonheur, on ne crache pas dessus.

Marcel, mon père, qui a toujours l'air d'une brosse à dents, est ainsi devenu candidat logique à la mairie.

Et mon grand-père, Omer, a fait

des sous avec les funérailles. Il y a eu beaucoup de monde. Pas seulement des admirateurs, mais certains politicailleurs se sont présentés là pour vérifier si leur vieil ennemi politique allait être bel et bien enterré. Ils ne tenaient en aucune façon à ce qu'il revienne les asticoter avec ses combines louches.

Je n'avais fait de tort à personne. Même mon père, après la disparition du maire, s'est mis à faire du porte à porte. Disons que l'on ne m'en a pas dit davantage.

37 000 $... des pinottes !

Et je me revois le soir du Bingo. B-7, I-22, O-73... Quelle idée a bien pu me traverser l'esprit ? Pourquoi me suis-je proposé pour crier les chiffres ? Mais cela aussi a rapporté. Comme la présentation de notre pièce... ah ! mais ça, j'en parlerai plus loin.

Et puis je me revois encore. Le soir du souper au spaghetti. Je mets les pâtes dans les assiettes. Luc y verse une bonne louche de sauce à la viande. Il brasse l'immense chaudron avec un bout de rame. C'est délirant de le voir ramer dans la sauce à spaghetti. Et, pour couronner le tout, exactement comme il déposerait une cerise sur le sommet d'un sundae, il ajoute une petite tour Eiffel. Elle est faite en fromage. Elle fond sur le spaghetti. Les convives ne sont pas nécessairement contents. De quoi se mêle-t-il, ce sacré Luc ? Mettre une tour Eiffel sur du spaghetti ? C'est idiot. Il y a même ma grand-mère qui lui lance son assiette par la tête. Elle n'a pas apprécié qu'il lui glisse un piment fort sous les tomates.

Luc est rouge de sauce. Il fait quand même le clown. Il dit que Paris est une ville extraordinaire malgré ses rues en spaghetti. Grand-mère lui répond qu'il ne connaît rien de la Ville Lumière. Pourquoi parler de la Ville Lumière soudainement ? Ce n'est que dans les livres que les auteurs appellent Paris la Ville Lumière. Dans la vie, les gens l'appellent Paris et c'est tout. Ma grand-mère quand elle se mêle d'utiliser des expressions toutes faites !

La voilà qui s'étouffe. Elle a carrément

avalé le piment. Elle a une bombe dans la bouche. Omer la retient. Il veut lui donner du vin. Elle cherche de l'eau. Grand-père ne désire pas qu'elle gâche le souper de spaghetti. Moi, j'espérais simplement que la famille ne participe pas à l'événement. Je trouvais qu'ils en faisaient déjà assez pour mon voyage. Mais mon père avait insisté. Ma mère aussi. Depuis quand voulaient-ils ainsi se mêler au monde ?

J'ai tout compris quand j'ai vu mon père serrer la main de la plupart des personnalités présentes. Il avait décidé de commencer sa campagne électorale sur ce pied-là.

Maintenant, Luc dit des bêtises à ma grand-mère. Il lui crie :

— Réveille-toi, Woody... réveille-toi !

J'ouvre un œil, un autre et un troisième. Notre car avance à pas de tortue dans la circulation des Champs-Élysées.

— Tu t'es endormi ?

— Non, non, Caroline. Je me suis juste assoupi. À peine assoupi.

Luc rigole.

— Menteur ! Tu dormais bien dur. Même que tu gigotais.

— J'avais mal à l'estomac. Mais c'est passé, maintenant.

— Des papillons, dit Luc en connaisseur. C'est le trac, c'est connu. Tous les grands artistes ont un trac fou. Moi, si je ne me retenais pas, je me roulerais par terre. Mais je me tiens tranquille. Je fais comme si rien ne m'énervait. Je suis un grand artiste, moi aussi.

Pour le faire taire, Andréa lui montre des vitrines de magasins, des terrasses, des gens qui prennent le soleil. Il y a une éclaircie aussi soudaine que miraculeuse.

Moi, je trouve que toutes les femmes ont l'air pressé. On dirait qu'elles marchent rapidement vers... vers quoi ? Leur travail ? Leur coiffeur ? Leur auto ? Tout le monde est pressé. Nous, nous sommes pétrifiés dans la circulation. On aurait beau être pressés que nous ne pourrions rien faire. Je suis heureux que mon estomac ait cessé ses folies. Il n'y a rien de pire que quelqu'un qui tombe malade la première journée d'un voyage.

Je sors mon plan de Paris. C'est Pauline, ma mère, qui me l'a prêté. On aurait dit qu'elle me confiait un trésor. Ici, les rues sont vraiment anarchiques. Toutes croches. Elles se rejoignent, font des détours inutiles, tournent en rond. Sans plan, on pourrait se perdre.

Ce qui demeure intéressant dans les embouteillages, c'est qu'ils nous permettent de voir les choses. Autrement, quand on file comme des balles, on ne voit rien. Pas le temps.

— C'est encore loin, l'hôtel ? demande Caroline.

— Normalement, on devrait être là dans une dizaine de minutes.

— Il est quelle heure au Québec ?

C'est encore Diane qui répond :

— Un peu passé trois heures du matin. Il y a six heures de différence avec ici.

Six heures. Chez nous, tout le monde dort. Mon père ronfle un peu. C'est-à-dire qu'il ne ronfle peut-être pas. Il doit se contenter de siffler. Ma mère s'inquiète peut-être. Peut-être qu'elle ne dort pas.

Une fois à l'hôtel, on se fout éperdument du décalage horaire. Ceux qui ont un peu somnolé comme ceux qui n'ont pas dormi du tout ont les nerfs à fleur de peau. Ce n'est pas le temps de s'écraser quand on a Paris à portée de la main.

Diane Labelle prend la parole dans le hall de l'hôtel.

— Rendez-vous ici à quatre heures, cet après-midi. Pour le moment, vous êtes libres. Essayez de respecter ceux qui veulent dormir. Les autres, prenez vos cartes... et le numéro de téléphone de l'hôtel. Si jamais vous êtes mal pris, téléphonez... ou informez-vous, O.K. ?

Nous sommes quatre par chambre. On voit que des lits ont été ajoutés.

Je partage donc la 504 avec Luc, Pierre-Paul Bernier et Pierre Jodoin. Pierre-Paul est tranquille. Pierre Jodoin est agaçant. Et Luc, vous le connaissez. Il ne change pas.

Je ne sais pas ce qu'ils pensent de

moi. Mais, en ce qui concerne le sommeil, nous sommes tous d'accord. Le décalage horaire, nous finirons bien par le rattraper.

Pour l'instant, nous descendons dans le hall de l'hôtel.

En attendant Caroline, Anik et Andréa, je vais prendre l'air. Notre hôtel se trouve dans la petite rue Casimir-Delavigne. Une rue minuscule. En regardant vers la gauche, on voit tout de suite l'Odéon. Ce n'est pas là que nous jouerons. L'Odéon, c'est un grand théâtre.

Je suis aussi émerveillé qu'un bébé à qui on donne du miel pour la première fois.

4

tour Eiffel, bateaux-mouches, tempête au cœur et au cerveau

TOURISTES DE FIN DE SEMAINE

Samedi, 7 mai et dimanche, 8 mai.

Nous avons l'air d'un groupe de jeunes touristes. Et nous sommes un groupe de jeunes touristes. Les gens prennent ordinairement leurs vacances après avoir travaillé, après les avoir méritées. Nous, à Paris, nous faisons exactement le contraire.

Pourquoi ? Parce que le festival se déroule officiellement du 9 au 15 mai. Les trois premiers jours étant consacrés à des ateliers, les quatre autres aux présentations des pièces des participants. Nous jouissons donc d'une grande fin de semaine de liberté.

— Liberté, comme nous le rappelle Mme Labelle, ne veut pas dire « ne rien faire ».

À Paris, il faut être réellement de mauvaise foi pour réussir à ne rien faire. Il y a tant d'endroits à visiter que le temps file sans qu'on le voit passer.

Nous nous divisons donc en plusieurs groupes. L'important, c'est d'être toujours au moins quatre.

Ce que nous remarquons d'abord, c'est que la capitale de la France fourmille de restaurants, de pâtisseries-boulangeries et de librairies. Les grands lecteurs en ont plein la vue et les gourmands parlent toujours la bouche pleine.

Mais il y a les innombrables lieux que le voyageur doit absolument visiter :

Le Louvre, peut-être le plus important musée du monde.

Notre-Dame-de-Paris, debout avec ses tours et ses cloches.

La tour Eiffel, symbole métallique de la technologie moderne.

Le Centre Georges-Pompidou, construction transparente dans un vieux quartier.

Nous n'avons que l'embarras du choix. Une fin de semaine, ce n'est jamais assez. ■

La vadrouille avait insisté pour mettre des noms de lieux. Je trouvais que ça faisait un peu « copiage du guide vert Michelin ». Mais il tenait à la chose.

— C'est pas tout le monde qui est allé à Paris. Oublie pas ça, mon homme. Je suis sûr qu'il n'y a pas le tiers de nos lecteurs qui y a mis les pieds. Et je suis généreux. Mais, quand tu nommes des lieux, tu fais rêver. C'est important de rêver, tu trouves pas ? Si tu donnes à rêver aux gens, ils vont venir manger dans ta main à la première occasion.

Ce n'est pas à moi que Clément Gauthier, l'homme de *L'Écho des Pays d'en haut,* va apprendre l'importance du rêve. Dans la nuit de samedi à dimanche, j'ai rêvé à... Anik. J'ai rêvé à Anik, moi qui pensais m'être débarrassé à tout jamais de ce rêve-là. Parce qu'il fait mal, parce qu'il est impossible... et aussi parce qu'il est doux, fou. Le rêve, c'est l'envers de tout ce qui rendrait la vie tranquille et sans goût. Anik m'embrasse... ce n'est pas vrai. Ce n'est plus vrai.

La tour Eiffel est un peu snob. Nous

l'avons choisie pour étrenner notre samedi. La tour Eiffel est une grande snob. Et elle fait des promesses qu'elle ne tient pas. Il suffisait de monter en haut de la tour pour voir Paris au complet. Allez-y voir ! Le ciel est couvert, le temps humide. Il ne pleut pas tout à fait, il bruine. Une bruine tenace, confortablement installée pour la journée.

Avant d'y monter, il a fallu attendre presque une heure. Le temps que l'humidité assiège tranquillement nos vêtements et se faufile jusqu'à nos corps. Bon. Ça va, nous sommes des touristes. Il faut accepter les inconvénients du métier. Même si nous nous sentons plus Français que tous ces Anglais, Asiatiques, Hollandais, Allemands ou Africains qui nous entourent et qui sont même devant nous.

J'émets une opinion :

— Les attractions touristiques françaises devraient aménager une entrée spéciale pour les Québécois. On est cousins ou on l'est pas.

Le temps est trop maussade pour que les autres me trouvent drôle.

Notre tour arrive enfin. L'ascenseur, qui n'a rien à voir avec les ascenseurs des édifices modernes, nous transporte en craquant vers le premier étage... puis le second. C'est normal que ça bouge comme ça ? Oui. Il ne faut surtout pas avoir le vertige. Je regarde ailleurs. Je pense à autre chose. Au sous-marin qui m'emportera un jour vers Honolulu ou le canal de Suez. Je ne connais pas grand-chose en géographie et je m'en moque. Je me perds sur les mappemondes.

Par contre, je saurais où trouver Paris sur la carte. Les yeux fermés, je pourrais planter une queue d'âne sur le derrière de la capitale de la France. Nous en avons tellement parlé en classe. Nous avons multiplié les recherches sur Paris. Nous avons vu des films tournés à Paris. Nous avons récité de la poésie d'Apollinaire :

Sous le pont Mirabeau coule
la Seine
Et nos amours
Faut-il qu'il m'en souvienne

La joie venait toujours
après la peine

de Jacques Prévert :

Je suis allé au marché aux
oiseaux
Et j'ai acheté des oiseaux
Pour toi
mon amour

de tant d'autres aussi qui ont aimé Paris. Nous avons lu des romans qui se passaient à Paris. Paris est devenu le fond de notre poche. Sauf que mes poches, comme celles de ce foutu Rimbaud, sont percées. Il me semble que j'ai tout oublié et que ce n'est pas moi qui visite Paris, mais bien Paris qui m'entraîne partout.

Tel que je l'avais promis, le soir de notre premier jour ici, même si j'étais complètement fourbu, même si je reniflais parce qu'une grippe me tenaillait — par chance, elle n'a pas vraiment pris racine —, j'ai téléphoné à la maison. Ma mère a décroché au premier coup. Elle s'est mise à pleurer comme si le fait de m'être rendu sain et sauf à Paris était la chose la plus émouvante du monde.

Moi aussi, j'ai senti mes yeux s'embuer. Je me suis tourné vers le mur. J'ai dit que tout était O.K. et qu'elle n'avait pas à s'en faire. J'ai ajouté que j'étais dans la même chambre que Luc et les deux autres. Bon. Je ne voulais pas brailler devant eux. J'ai réussi à me contenir. J'ai raccroché, soulagé, nerveux, tremblant. Je me suis écrasé sur mon lit. J'aurais voulu m'endormir instantanément. Je n'ai pas pu. J'étais trop crevé. Il m'a fallu une bonne heure pour revenir à la normale, si la normale existe.

À quatre heures du matin, je me suis réveillé. Les yeux ronds comme des pleines lunes égarées, je me suis demandé où j'étais, ce que je faisais ici, tout et tout. Je me suis posé beaucoup trop de questions. Deux heures plus tard, je creusais encore dans mon lit à chercher le sommeil qui n'était pas plus sous mon oreiller que dans la poche de mon pyjama tout neuf que ma mère m'a acheté pour le voyage. C'est là que j'ai compris qu'il y avait une chose qui me manquerait vraiment ici. Quoi ? La musique, voyons !

D'accord, j'ai mon baladeur. Mais un baladeur ne remplace pas la liberté. Je ne me souvenais d'ailleurs plus où je l'avais fourré. Et puis je ne voulais pas allumer. Je n'étais quand même pas pour commencer à emmerder tout le monde. Je me suis promis que la prochaine fois, je ferais plus attention. Il me fallait Chopin ou Bach ou Beethoven ou Schubert ou Mahler. Sans eux, j'étais un étranger. N'importe où dans le monde, je devenais un étranger. Les oreilles sont importantes pour l'équilibre, dit-on. Quand les miennes n'ont pas leur part de musique, je ne sais plus où je suis et ce que je deviens.

Caroline, Pierre-Paul, Luc, Anik, Andréa et moi parvenons enfin au deuxième palier de la célèbre tour. Là, nous attendons Stéphanie Lachapelle qui a tellement chialé contre l'attente qu'elle a décidé d'emprunter l'escalier. Les genoux en compote, quand elle nous rejoint, elle rumine encore.

— Tu vas finir par me faire penser au Schtroumf grognon, lui lance Luc qui décidément connaît ses classiques sur le bout de ses doigts.

— Toi, ti-kid kodak, ta yeule, O.K. ! ?

Nous comprenons immédiatement que l'heure n'est pas à la blague, mais idéale pour profiter du superbe point de vue qu'offre la tour Eiffel. Nous regardons de tous les côtés. Nous en faisons le tour. Le tour de la Tour, ça c'est étourdissant. On voit à peu près aussi loin que le fin fond de la brume. Les Français peuvent bien rire des Anglais et de leur brouillard. Devant nous, il y a du brouillard derrière lequel grouillent les merveilleux arrondissements de Paris. Mais les arrondissements, il faut les deviner.

Bon, on regarde les verrières nous montrant le célèbre Eiffel en action, du temps qu'il avait son bureau dans la Tour. Et puis, il y a un petit film qui nous raconte son histoire. C'est bien. C'est parfait. Luc laisse sa caméra et commence à bécoter Andréa. Pendant une minute, nous respirons en paix. Il devient énervant à nous filmer partout. Mais le calme ne dure pas. Andréa n'est pas d'humeur aux embrassades. Dommage !

Tous les sept, nous descendons. En bas, tout près du pont d'Iéna patientent les bateaux-mouches. Des vedettes toutes vitrées qui offrent des visites commentées. C'est un moyen de visiter Paris par la Seine. On passe sous les ponts. Chacun a son histoire.

Une grande femme blonde au rouge à lèvres excessif commente le tout. En français, en anglais et en allemand. Dommage pour les Japonais. Ils sont pourtant nombreux. Ils forment des petits groupes nerveux, pleins de sourire, des petits groupes au langage incompréhensible. Et ils n'arrêtent jamais de jouer du kodak. Des maniaques !

Clic ! clic ! par-ci, clic ! clic ! par-là ! Et la photo de famille. Et le pont numéro 1. Et la deuxième photo de famille assise dans le bateau-mouche. Et la photo reprise avec celui qui a photographié la première. Et ça continue. Des souvenirs, en voulez-vous, en v'là. Et une photo de chaque pont. Le pont Neuf qui est le plus vieux, celui de Napoléon. Et une photo de la blonde au rouge à lèvres qui a une anecdote pertinente pour tout. Sa voix résonne dans son porte-voix. Son rouge à lèvres me met les deux yeux au beurre noir.

Puisqu'il est question de couleur, je souligne que la Seine est brune. De l'eau vaseuse, la Seine. La rivière du Nord a l'air d'un ange intouché à ses côtés. Mais ça ne se compare pas. Il n'y a pas de bateaux-mouches sur la rivière du Nord, mais les mouches noires ne manquent pas. La Seine est vaseuse, mais qu'est-ce que ça fait ? C'est la Seine. La Seine où les amours reviennent. Si j'étais Prévert, Anik, je t'achèterais des oiseaux. Je me parle tout seul, au creux de ma tête. De l'extérieur, je suis touriste. Je regarde.

Je me demande quelle langue les Japonais préfèrent : le français, l'anglais ou l'allemand ? Je suis cave. Je me pose des questions inutiles. J'aime réfléchir pour rien. Les Japonais préfèrent sans aucun doute l'anglais. L'anglais, c'est la clé pour le monde entier. Ce n'est pas une raison pour ne pas parler le français, me direz-vous ? Pour nous, oui, mais pour les Japonais...

Mon père m'a étonné au sujet des langues. J'avais toujours cru qu'il mettait les anglophones sur un piédestal. Il aime tellement la langue de Shakespeare. De temps en temps, dans le salon, il lit *Hamlet* ou *Romeo and Juliet* dans le texte. Il mastique les répliques à la Oxford. Un jour, il m'a dit :

— Ce sont juste des exercices de diction.

Je ne l'ai pas cru. Parfois je joue l'avocat du diable farci aux petites crevettes. Quand j'ai vu qu'il allait bel et bien tremper dans la politique municipale, je me suis dit : « C'est le moment de mettre son nationalisme à l'épreuve. » J'ai voulu vérifier si mon père avait des couilles. Une façon de parler. Sans elles, je ne serais pas de ce monde.

Il y a des conflits linguistiques dans les écoles du Québec. En France, les conflits linguistiques n'en sont encore qu'à l'étape des juke-box. S'ils ne font pas attention, ils finiront bien comme nous autres. J'ai donc demandé à Marcel Gougeon, notaire qui a l'allure d'une brosse à dents :

— Pourquoi est-ce qu'on va pas à l'école en anglais ? Pourquoi on apprend pas tous l'anglais ? Me semble que ça serait beaucoup mieux. Il n'y aurait pas de problème. C'est vrai, plus de problème ! Tout le monde serait anglais et c'est tout. Hein, pourquoi on devient pas anglais ? Après tout, c'est juste une question de temps.

Mon père m'a regardé. Il a souri. Un moment, j'ai cru qu'il allait approuver tout ce que je venais de dire. Et je savais, moi, que j'étais le salaud qui lui avait tendu un piège. Un salaud qui voulait savoir si son père valait le coup. Mais Marcel Gougeon a souri. Puis il a dit d'une voix presque chantante. Une voix calme que je ne lui connaissais pas.

— Pourquoi on vit pas complètement en anglais ? C'est simple, François. Pour moi, en tout cas, c'est très simple.

On baisse pas pavillon parce qu'on rêve en français. Moi, je rêve en français. Toi, François, est-ce que tu rêves en français ?

J'ai baissé les yeux. J'avais un peu honte sur le coup.

— Oui, je rêve en français. Mais tu m'étonnes, papa.

— Qu'est-ce qui t'étonne ? Que je rêve ?

— Oui, c'est en plein ça. Je pensais pas que tu rêvais, toi aussi.

Et les Japonais sur les bateaux-mouches ou aux Folies-Bergères... entre leurs clic ! clic !, les Japonais, à Paris ou ailleurs dans le monde, ils doivent rêver en japonais. Parce que maintenant je pense que tout le monde rêve d'une manière ou d'une autre.

Mais nous, sur notre bateau-mouche ou ailleurs, on a encore la caméra de Luc qui nous tourne autour.

Et puis, devant moi, sur le petit banc de fibre de verre moulé, Anik est plus belle que jamais. Elle aussi écoute les commentaires de la fille au rouge à lèvres. Elle aussi, elle suit les manèges de Luc et les clic ! clic ! des Japonais.

Caroline appuie sa tête sur mon épaule. Pas pour longtemps. Quelques secondes à peine. Mais ça me gène. J'ai peur qu'Anik se retourne et nous voit.

Caroline me serre la main.

— T'es plus le même depuis qu'on est ici.

Je hausse les épaules.

— Bien non. Tout est pareil. Y a juste que j'ai un peu le trac. Pas toi ?

— Un peu. Mais j'ai pas un aussi grand rôle que toi.

Mon rôle. Il me revenait à l'esprit. C'est vrai que j'avais des répliques. Et la pièce ? Qu'est-ce qu'ils en penseraient de la pièce, ces Français qui se croient nos cousins et qui imaginent des Indiens folkloriques à tous nos coins de rues et la neige éternelle sur nos montagnes ?

* * *

D'abord, Moins-Cinq avait proposé un *brainstorming*. Un *brainstorming*, ça se traduit très mal. Une tempête de cerveaux, ça fait plutôt dur. Certains appellent cela un remue-méninges. C'est mieux. Mais Diane Labelle n'a toujours parlé que de *brainstorming*. Il reste qu'il fallait unir nos vingt-cinq cerveaux pour penser sur la même longueur d'onde et inventer une pièce qui se tienne. Quelque chose qui soit montrable. Présentable. Que des gens seraient en mesure de comprendre, qu'ils vivent à Paris ou ailleurs. Et, en même temps, quelque chose qui nous représente vraiment, qui soit nous avec tout ce qu'on a dans la tête et sur la patate.

Nos débuts ont été cafouilleux. Personne n'osait trop parler de peur de se faire dire qu'il est complètement hors du sujet ou, plus cruellement, que ses idées sont inintéressantes. Ou encore pire, passées de mode.

Il fallait que quelqu'un d'expérience prenne la parole. C'est pour ça que Pierre-Paul Bernier, lui qui s'occupe de la ligue d'improvisation, a décidé de se lancer tête première, ce qui est une façon de parler évidemment, dans le *brainstorming*.

— Pourquoi on se trouve pas un

titre ? Quelque chose qui fasse image ! Quelque chose qui nous inspire !

Mollement, on a tous approuvé. En tout cas, on n'avait rien contre. Quelques-uns ont même murmuré :

— Moi, ça me dérange pas.

Une phrase qui prend parfois des allures de tic. Diane Labelle a sursauté.

— Quand même ! On demande des opinions, pas des approbations à tout ce qui passe. Si ça vous dérange pas de jouer n'importe quoi, si ça vous dérange pas d'aller à un festival de théâtre étudiant à Paris, si y a rien qui vous dérange, on est aussi bien de rien faire du tout.

Là, j'ai cru que je pouvais sauver les meubles :

— Je trouve que Pierre-Paul a une bonne idée. Si on commence par un titre, on va pouvoir se donner un élan et...

— Je suis pas certaine du tout que ce soit la meilleure façon de commencer, a dit Mme Labelle en me coupant la parole.

Si quelqu'un était enthousiaste, c'était bien elle.

— Ça sent un peu la ligue d'impro, vous trouvez pas ? S'obliger à partir d'un sujet, ça peut devenir limitatif, non ?

Les cinquante yeux se sont regardés. Les vingt-cinq cerveaux se sont mis en branle.

Simone Rouillard a dit :

— C'est vrai qu'on est mieux de pas se limiter à un titre. Il faudrait creuser plus loin, plus profondément et...

Stéphanie Lachapelle a profité de l'occasion pour dire à Simone qu'elle était pas mal *heavy* et qu'on n'arriverait à rien. *Heavy,* c'est une autre expression de la même famille que « brainstorming ». Ça devient boiteux quand on se mêle de la traduire.

Luc en avait déjà assez entendu :

— Si on creuse trop profond on peut finir sérieux comme des papes. Je trouve qu'il faut rire. Faut faire un show drôle.

— Ça empêche pas de dire des vérités, ça.

C'est Andréa Paradis qui lui répondait. Ils commençaient à peine à se réconcilier. Mais c'était encore fragile. L'accident de moto et le côté Ti-Jos-

Connaissant de Luc tapait souvent sur les nerfs d'Andréa.

Encore une fois, en vrai héros, j'ai voulu sauver les meubles.

— Reste que, si on prend le temps de trouver un titre, c'est une façon de creuser et de trouver le sujet et ses limites en même temps.

Là, il y a un silence qui s'est abattu comme un chêne qui tombe de toute sa hauteur. On m'a regardé. Qu'est-ce que je voulais dire exactement ? Moi-même j'aurais été en mal de l'expliquer clairement tant leurs yeux de poissons morts me tombaient sur le cœur.

— Bon, O.K., laissez faire, j'ai dit.

— Au contraire, c'est vrai qu'un titre *le fun*, ça part bien une histoire.

Anik m'approuvait. Bon, j'étais aux as. Pierre-Paul et moi nous n'étions plus seuls.

Nous nous sommes donc mis à nous lancer des titres par la tête. Tout ce qui nous traversait le citron, on le mettait sur la table, quitte à se faire démolir, à se reprendre, à recommencer. Nous cherchions « quelque chose » qui ait de l'effet, « quelque chose » qui crée un impact, « quelque chose » qui nous ressemble et qui dise « quelque chose ». Luc a proposé le titre : « Est-ce qu'il nous reste encore quelque chose à faire ? »

— Trop long ! a répliqué la majorité.

D'autres ont enchaîné. Il y avait des titres quétaines, des titres timides (*Laissez-nous une chance*), des titres baveux (*Ma cour et mes belles bébelles*), des titres poético-rose bonbon (*Tendre Jeunesse*), le titre de Stéphanie Lachapelle (*Ça mène à rien*). Des clichés qui ressemblaient à des titres qui existaient déjà. J'ai même proposé :

— Pourquoi on appelle pas notre pièce *Le Dernier des raisins* ?

— Ça serait bon pour un monologue, ça.

— Pourquoi on demande pas à Woody de faire un monologue et puis qu'on l'accompagne pas en France pour l'applaudir ? a ajouté Luc qui est toujours génial comme une tranche de bacon ratatinée.

— Non, mais on pourrait raconter

le voyage d'un paquet de jeunes. Ça pourrait s'appeler *Y a-t-il un jeune dans cet avion ?*

— Bien non, ça poignerait pas. Faut quelque chose de plus *punché.*

À force de mêler les titres et les flashes, nous avons fini par avoir mal au cœur. C'est toujours ce qui arrive quand il y a trop de crème fouettée. Je ne sais même plus qui a crié :

— Pourquoi on appelle pas ça *Crise de cœur* ?

C'était trop vieux. Alors *Crise de cœur* est devenue *Crise de cœur junior* ... *Crise de cœur en la mineur* ... et puis, ça s'est transformé en *Cris du cœur* pour aboutir à *Christ de cœur.*

Nous défoulions. Les titres s'alignaient et résonnaient comme des tambours qui roulent entre les pattes d'une foule.

Le plus drôle était peut-être de constater que tout ce qui nous sortait de la tête parlait du cœur. Nous étions devenus les spécialistes des affaires de cœur. C'est peut-être pour ça que quelqu'un a dit :

— J'ai un bon titre : *Trucs de cœur.*

— Non. *Trac de cœur...*

— C'est ça, pour qu'on change de *track* de temps en temps.

La tête me tournait. J'ai annoncé comme un joueur de cartes :

— *Craque au cœur.*

La Craque au cœur. Ça faisait image. Ça satisfaisait tout le monde. Les sérieux imaginaient un gros cœur craqué. Les drôles voyaient une craque, comme on dit pour une *joke*, une farce ou un gag. La gueule fendue jusqu'aux oreilles... tellement que le cœur craque.

Une craque qu'il fallait maintenant remplir d'idées, de scènes, de jeux, de drames, d'imagination. De tout ce qui fait notre vie. De tout ce qui nous différencie du monde des adultes.

Une craque qui ne s'est pas remplie très rapidement. Chacun voulait peut-être mettre du cœur à l'ouvrage, mais nous n'étions vraiment pas capables d'inventer un show en chœur. Nous nous cherchions.

Nous cherchons *Le Petit Prince.* C'est un restaurant, pas le garçon au long foulard qui, dans le livre de Saint-Exupéry, tente d'apprivoiser un renard. *Le Petit Prince* est caché, rue Lanneau, dans le Quartier latin. Ma mère m'a griffonné le nom de ce restaurant sur un bout de papier. Elle l'avait beaucoup aimé. Mais, le dimanche, le Petit Prince doit s'ennuyer de sa rose. Il ferme boutique. Et puis, le menu à la porte nous fait dresser les cheveux sur la tête. Ce n'est pas tout à fait un restaurant pour des étudiants. Ma mère ne fait pas les nuances. Pour elle, les francs, ça doit être des pinottes.

Nous nous ramassons plus loin, dans un restaurant qui n'a rien de princier. À part ses garçons qui se prennent pour des rois. Ils n'aiment pas travailler le dimanche. Ils n'aiment pas servir une table de sept où chacun calcule ce qu'il a les moyens de manger. Ils n'aiment pas transporter des assiettes pleines de nourriture. Andréa demande à celui qui nous bouscule à sa manière :

— Vous aimez pas les Québécois, je pense ?

— Mais non, réponds le garçon d'une voix brève et haute. Nous aimons votre accent. Nous vous adorons.

Et il nous lance presque nos assiettes par la tête. C'est à peine s'il ne les dépose pas pêle-mêle au milieu de la table en nous disant :

— Débrouillez-vous, bande de caves !

Quoi que l'on fasse, on n'est jamais assez rapides pour attraper son rythme. Quand le garçon demande :

— Potage parmentier ?

Ce n'est pas le temps de se demander qui était Parmentier et si c'est vraiment la soupe qu'on a commandée. Il faut lever le doigt et vite. Sinon c'est la gueule de bois. Un garçon ici n'a pas le temps de niaiser.

Finalement, notre garçon n'aime pas rédiger sept additions. Il en fait une seule pour la table au complet et nous convie à nous arranger avec nos troubles. Pierre-Paul Bernier sort sa calculatrice.

— Quinze pour cent de service divisés par sept...

À Paris, le dimanche est tranquille, le Louvre est gratuit et les amoureux vont deux par deux. Nous sommes sept. Dans le Louvre par exemple, qu'il faudrait des semaines pour le visiter vraiment, nous sommes sept à regarder *La Joconde* de Léonard De Vinci sourire derrière son écran de verre.

Plus loin, Pierre-Paul, qui joue à rêver d'être comédien mais fait des dessins fabuleux dont il ne parle jamais, me dit :

— On se sent petits, tu trouves pas ?

— C'est vrai.

Je rentre la tête dans les épaules. J'imagine par bribes tous ces gens qui nous ont précédés sur la planète. L'histoire nous écrase. La peinture, c'est la couleur de l'histoire. Nous sommes bien petits mais, au fond, comme ceux qui ont passé ici avant nous, on a un cœur qui bat. Un cœur qui bataille. Le mien qui laisse grandir des rêves dans mon sommeil, qui me pousse encore vers Anik et qui repousse Caroline, doucement... comme si je devenais indifférent. On est petits, tout petits.

5
trous de mémoire

JOURS D'ATELIERS

Lundi, 9 mai, mardi, 10 mai et mercredi, 11 mai.

Le moment de travailler vient de sonner. Tous les matins, nous nous levons à 7 h 30 et nous nous réunissons dans le hall de l'hôtel. Là, il y a l'appel par numéro. Le 8 est toujours présent, c'est le mien.

Tous les jours, nous devons nous rendre au théâtre Raymond-Queneau qui est situé dans le 7e arrondissement, boulevard Raspail. Petit théâtre de rien du tout et à moitié rénové. On pourrait croire qu'il hésite beaucoup à changer de peau, à perdre sa poussière et ses odeurs du temps qui s'est éclipsé. Ce n'est pas toujours les locaux qui comptent mais plutôt ce qu'on y fait.

Ensemble, nous assistons aux ateliers donnés par les autres troupes. Nous remarquons surtout que les professeurs français dirigent leurs élèves avec une main de fer. Ils sont beaucoup plus sévères que Mme Labelle. Ils s'appuient aussi sur des textes très classiques. Ils travaillent de longues tirades en vers de Racine ou Corneille, quelques scènes de Molière, du Feydeau, un extrait de Courteline. Bref, des morceaux choisis dans le répertoire. Nous pourrions nous croire à une autre époque. Les jeunes n'ont pas la chance de prendre beaucoup d'initiatives, comme si tout avait déjà été fait depuis longtemps et que chacun devait se conformer aux modèles anciens.

Le mercredi, quand vient notre tour de travailler, les observateurs notent que nous « faisons vraiment dans le moderne et l'improvisation ». Est-ce un défaut ? Ils trouvent également que Diane Labelle nous laisse une immense liberté. Est-ce un mal ? Non. Les autres responsables de groupes notent cela avec le sourire le plus indulgent qu'ils peuvent inventer.

Quand j'ai eu mon trou de mémoire, ils m'auraient certainement crié ma phrase par la tête.

Pour nous, ces ateliers sont surtout intéressants parce qu'ils nous permettent de côtoyer d'autres jeunes. Jusque-là, Paris était beau mais relativement vieux. Maintenant, des participants de notre âge nous communiquent leurs idées. Ils trouvent qu'au Québec, nous jouissons d'une liberté infinie. Ils nous envient. ■

Ils ne connaissent pas l'envers de la médaille. Ils ne savent rien de Clément Gauthier. S'ils voyaient avec quelle grossièreté cet homme peut bousiller votre texte. Il tenait tellement à démontrer à ses lecteurs que le Québec est la terre de la liberté et de la création, qu'il s'est ingénié à tordre mes mots.

— On est chanceux et on le sait pas, s'exclame-t-il de sa voix de stentor. Si on s'en rendait compte, ça serait un gros « plusse » pour notre développement. On perdrait nos complexes.

Complexes qu'il n'a malheureusement jamais eu l'idée d'avoir.

Ils sont trois. Deux gars, une fille.

Le grand blond, c'est Bertrand. Un fil, ce gars-là, un fil presque trop élancé. Moi qui n'ai rien d'un haltérophile, je prends l'allure d'un bonhomme Michelin à côté de lui. On dirait un don Quichotte en vacances. Alice est une vraie fille. Je veux dire par là qu'elle porte des boucles d'oreilles et des *runnings* très spéciaux rose et jaune.

Quand Anik veut savoir où elle a acheté ses *runnings*, elle apprend que le mot « running » , ici, ne signifie rien. Pour parler de souliers de course, ils utilisent le mot « baskets ».

Il y a enfin Danielle. C'est une fille, ce garçon-là. Plus costaude que Bertrand, presque aussi grande et les cheveux en brosse. Tous trois font partie de la troupe d'un lycée parisien. Ils terminent leurs études secondaires, eux aussi. Ils aimeraient se procurer une copie du texte de notre pièce. Je leur dis :

— Pourquoi vous voulez ça ? Vous savez même pas si c'est bon.

— On est collectionneurs, répond Danielle. On s'en fout que ça soit bon ou pas.

Elle pourrait impressionner n'importe qui. Je joue celui qui ne l'est pas.

— On va vous en laisser un exemplaire avant de partir.

En disant cela, je ressens un coup au cœur. On connaît des gens depuis moins de cinq minutes que l'on parle déjà de départ.

Luc, selon sa bonne vieille habitude, s'est mis à les filmer en notre compagnie.

— Ça va faire plus réel, dit-il. C'est important de voir quelques Français dans un vidéo qu'on fait en France.

— Il est toujours comme ça, votre mec ? demande Danielle.

— Il aime jouer au cinéaste.

Bertrand rit. Il me fait promettre de ne pas les oublier au sujet du texte. Je promets.

— Alors on va bouffer ? demande-t-il à ses deux acolytes.

— Ouais... répond Danielle.

Luc range sa caméra.

— Et nous, où est-ce qu'on va ?

— Avec nous si ça vous chante.

Et c'est ainsi qu'on a mangé une

pizza comme il s'en fait là-bas. Une pizza qui ressemblait pas mal aux pizzas de chez nous. Et, au-dessus de la pizza, on a discuté comme on discute n'importe où, comme on discute quand on est ailleurs. On a comparé nos petits mondes. Et nous avons compris que nous étions beaucoup plus Américains que nous ne l'avions jamais cru. Et eux, ces Français, ils semblaient nous envier. Nous avons dû convenir que les pizzas, aux États-Unis, ressemblent vraiment aux pizzas de Paris, du Québec et de partout.

* * *

Il y a des gens qui, avant même de partir en voyage, tente de planifier tout ce qu'ils vont faire. Ils s'imaginent qu'ils vont manger une poutine sur les Champs-Élysées. Ils se mettent un doigt dans l'œil. Les Français n'ont aucune connaissance de la poutine, pas plus qu'ils ne savent qui est le meilleur prof de français de tout le Québec. Moi, je la connais. Elle s'appelle Diane Labelle.

Je me suis rendu compte que Diane

avait une tête sur les épaules. Que ce soit pour organiser le voyage ou nous faire inventer la pièce. Dans ses amours, ça doit être la même chose. Il suffit de la voir avec son grand ébéniste de mari, Jacques Garand. Je dis cela parce que moi, j'ai toujours l'impression d'être à côté de la *track*. J'ai le cœur tout mou. Battant, courant, fouinant, fouillant. J'ai le cœur d'un chien qui cherche. Il sent quelque chose tout près... de l'amour, du bonheur, n'importe quoi. Quelque chose qui pourrait mettre sa vie à bord d'une fusée pour l'envoyer au diable vauvert. Alors je cherche, je m'affole. J'ai le cœur-girouette, plein de vent, échevelé, cave, maniaque, aveuglé. Il lui faudrait des doubles lunettes et de la crème fouettée dessus. Sans oublier la cerise.

J'ai le cœur en expédition. En route pour un *no-where*. Je suis prêt à partir pour n'importe où. Je suis prêt à essayer la lune ou les temps futurs. Je suis même prêt à me transformer en homme des cavernes, en homme-grenouille ou en nouille. En fait, je ressemble au personnage multiforme que nous avons inventé dans notre pièce. Nous sommes vingt-cinq à lui donner vie, à le manipuler, à l'articuler. Nous sommes vingt-cinq pour faire un humain super-jeunesse, multisexe et plein de sève, de sang, de vie et de chants.

J'ai le cœur craqué. J'ai une craque au cœur. C'est par là qu'entrent toutes les amours que je peux désirer. Parce que j'ai beau me lamenter autant comme autant, j'avoue que j'aime le monde. J'aime les gens. J'aime la vie. J'aime surtout les filles. Les filles.... mais laquelle ?

Par la craque de mon cœur, tout entre, tout peut entrer. La vie avec ses vents, ses musiques, ses visages. La vie en avion, avec son ciel, ses nuages, ses pluies qui font que la terre sent bon, que l'air emplit mes poumons, que l'eau coule sous les ponts avec passion.

C'est aussi par la craque de mon cœur que tout déborde. Parfois je crie comme j'ai mal de ne pas être beau, d'être si gauche dans mes mouvements, de faire rire quand je voudrais être sérieux ou faire réfléchir les autres. Bien que je me demande qui je suis pour espérer faire réfléchir les autres. Je suis bougrement prétentieux. Au fond, je suis peut-être mieux de faire rire, un point c'est tout.

C'est par la craque de mon cœur que je me montre la tête. Que je montre l'intérieur de ma tête pour autant qu'on peut montrer ce que l'on pense sans écœurer tout le monde. C'est par la craque de mon cœur que je peux crier, chanter, glapir, aboyer, flamber, enfler, souffler, dessiner, giguer, me mordre et rebondir, trampoliner jusqu'à plus tard.

Tout cela pour me justifier. Tout cela surtout pour dire que j'ai un affreux trou de mémoire. Un trou de mémoire total. Le crâne lessivé. Blanc. Javelisé devant les lampes de poche qu'allument mes complices. L'esprit lavé par cette lumière grandissante. Les mots que je connais par cœur, les mots que je sais pour les avoir tricotés, les mots qui devraient paraître naturels et justes, les mots ne viennent plus.

Mais ils ne sont pas seuls. Les

gestes aussi me semblent à l'autre bout du monde. Je ne sais plus ce que je dois faire. Et je reste figé, pâle, piétinant sur place.

— Complètement con, ce mec, comme le dirait Bertrand, le copain français rencontré lundi.

— Qu'est-ce qui va pas, François ?

Rien. Je secoue la tête comme si je cherchais à retrouver un peu de ma concentration perdue. Depuis quelques jours, elle n'a jamais été là. Je devrais dire tout, Diane. Tout, tout et tout. Le pays ici. Je n'ai pas assez de mes deux yeux pour tout voir. Je voudrais fouiner partout mais je n'ai pas le temps. Ce qui est une façon de parler. Ce n'est pas que je n'aie pas le temps, c'est que je suis parfois emporté par le courant des autres. Quand Luc a le goût de voir Notre-Dame-de-Paris.

— Tiens, Woody, tu pourrais monter dans le clocher et jouer Quasimodo. Ça serait drôle.

Bien non, je pense... mais non, ça ne serait pas drôle. Je ne jouerais pas Quasimodo, le bossu affreux de Victor

Hugo. Je ne peux pas jouer Quasimodo. Je suis un Quasimodo vingtième siècle. Moi aussi, je suis sourd à tout ce qui passe autour de moi. Moi aussi, j'entends constamment des cloches folles. Moi aussi, je suis amoureux.

L'amour est la pire chose qui peut vous tomber sur la tête. Je me trompe. En fait, l'amour vous coupe la tête. Je n'ai jamais vécu sur une ferme. Mais ma mère y passait ses vacances d'enfance, chez un de ses oncles. Et elle m'a raconté. Elle a vu une poule se faire décapiter d'un coup de hache. Le pauvre volatile, à cause des courants électriques de ses nerfs, courait vers nulle part, tournait en rond, se débattait pour rien. Quelques secondes qui devaient ressembler à trois éternités.

Elle refusait de mourir. Les poules doivent être amoureuses de la vie.

Moi, je ne sais plus où donner de la tête. Pourquoi Anik me semble-t-elle si belle depuis que l'on a quitté Mirabel ? Pourquoi son image me poursuit-elle partout dans les petites rues qui ont vu tellement d'amours ? Pourquoi ai-je continuellement envie de lui raconter ce que je vois, ce que je sais sur ce que je vois ? C'est l'absence de Patrick Ferland ? Peut-être.

À la pizzeria, j'avais l'envie folle de laisser ma main voyager dans ses cheveux. Et je l'ai fait. Caroline n'était pas avec nous. Elle abandonne peu à peu la partie. Est-ce que je suis lâche de ne rien lui dire ? Caroline n'étant pas là, je ne pouvais pas la blesser. Le geste le plus anodin détruit parfois les autres. Mais elle aurait été là que ma main aurait accompli le même rite. Un geste en apparence gratuit, fait en passant, fait en riant... mais qui demeure un besoin de toucher.

Et mardi matin, avant l'appel, Anik et moi, dans le hall de l'hôtel. Avec les autres, la pièce est encore plus minuscule. Nous, nous étions dans un coin, comme seuls tous les deux, par hasard. Non, pas par hasard. Parce que je le voulais, parce que je l'avais désiré.

Je me suis mis à griffonner une carte postale. Anik m'a dit :

— Tu écris ?

— Oui. Je sais pas trop quoi dire. Une carte c'est en même temps trop petit pour aller très loin et trop grand pour des banalités. J'écris parce que je suis obligé. Faut que mes parents aient des nouvelles. Même si j'arrive avant mes cartes. Il faut qu'ils soient assurés que j'ai vraiment pensé à eux. C'est fou comme ça.

J'ai laissé passer un moment. Un long moment. Je savais bien quoi dire, mais je me demandais comment le demander naturellement.

— Toi, tu écris pas ?

— Pas capable. Ni à la famille, ni à personne.

C'était clair. Il me semblait en tout cas.

On recommence la scène. C'est mieux. Je reprends mon personnage-caméléon. Après avoir parlé aux trois Français, hier, j'ai l'impression qu'on ne parle pas de la même chose. Je me trompe peut-être. D'ailleurs, je me trompe sur toute la ligne. Vite rallumez les lumières de la salle que je me retrouve. Mais non, je suis le caméléon parlant, le caméléon bougeant, le caméléon de *La Craque au cœur*.

* * *

N'importe quoi pour faire rire. Ou tout pour faire pleurer. Nous pataugions encore. Nous avons pataugé pendant des semaines à chercher une voie carrossable, à chercher une manière d'exprimer, un style, un cri.

D'abord en formant de petites équipes. En s'inventant des scènes à la manière de... Molière, Jules Romain, Woody Allen, Feydeau, Tremblay. Cela supposait des lectures. Plus nous lisions, plus nous nous embourbions. Mais Diane avait la patience de ceux qui voient miroiter des lumières fragiles dans la nuit, aussi lointaines soient-elles. Bientôt, même le titre, *La Craque au cœur*, nous pesait.

L'époque était au pessimisme. Avec la vente des chocolats, la soirée de danse et le pyjama party, nous avions plus d'argent en caisse que d'idées potables sur le papier. Mais Diane savait attendre. Elle savait surtout que c'étaient nous-mêmes que nous avions à combattre, notre peur d'être jugés, notre peur de passer pour des épais, des trop sensibles.

N'importe quoi pour faire rire. Ou tout pour faire brailler.

Certains étaient prêts à exécuter les pires pitreries, d'autres voulaient sérieusement traiter du suicide. De quoi se tirer une balle dans la tête ou se faire lécher les pieds par une chèvre.

Longtemps, il y a aussi eu les blocs de marbre. Tous ceux, comme Stéphanie Lachapelle, qui racontent à tout bout de champ que ça ne se réalisera pas. Ils répètent cela avec beaucoup d'assurance. Ils participent mais restent sur la défensive. Aussi difficiles à déplacer que des gros tas de marbre. MARBRE, il ne faut pas faire d'erreur de prononciation.

Et puis, un jour, sur une feuille à dessin, il a bien fallu inventer des personnages. Chacun le sien. Chacun son personnage mais pouvant faire partie d'un ensemble un peu homogène. Homogène, ça veut dire qui se ressemble, qui se dirige vers le même but. Dans *Terre des hommes,* Antoine de Saint-Exupéry écrit ceci :

Liés à nos frères par un but commun et qui se situe en dehors de nous, alors seulement nous respirons et l'expérience nous montre qu'aimer ce n'est point nous regarder l'un l'autre mais regarder ensemble dans la même direction.

Eh bien, nous ne devions pas nous aimer beaucoup. On regardait partout sauf dans la même direction.

Ça devenait du défoulement collectif. Simone Rouillard se voyait en fée des Étoiles. Luc, selon sa bonne vieille habitude, rêvait d'être un motard. Et, quand on lui demandait :

— Bon. D'accord, Luc. Mais qu'est-ce qu'il va faire ton motard ?

Il ne répondait rien. Il tombait en panne. Il s'imaginait qu'il suffit de se présenter sur une scène avec les cheveux gominés, les jambes arquées comme s'il avait été à cheval sur une moto, dans un tintamarre infernal de moteurs qui rugissent pour que tous les spectateurs tombent dans les pommes.

D'autres croyaient en la vertu des musiques des groupes à la mode. Il suffisait de faire jouer un bout de U-2, de Depeche-Mode, de The Box ou de INXS pour que les spectateurs ne voient que du feu.

— Le problème, c'est que c'est pas ces groupes-là qui vont donner le spectacle, mais vous autres.

Diane avait raison. Mille fois raison. J'ai même osé ajouter :

— Ouais. Et puis, c'est du théâtre qu'on va faire. Pas un show de chansons.

— On sait bien, toi, tu voudrais qu'on mette juste de la musique classique.

C'est Anik qui venait de parler. Anik qui ne disait rien, Anik qui ne voulait pas jouer dans la pièce. Anik qui voulait se consacrer à la fabrication des costumes. Parce que c'était Anik, justement, et surtout parce que je l'avais tellement aimée, j'ai dit :

— Pourquoi pas de la musique classique ? Ça ferait pas de tort à personne d'en entendre un peu. Et puis, toi, tu t'en fous, tu vas travailler sur les costumes.

— Minute, Woody ! Si on n'a plus le droit de parler, maintenant, c'est autre chose. Je suis pas là pour tricoter des affaires aux comédiens, moi. Je suis là pour dire ce que je pense aussi.

— Parle plus souvent, on va savoir ce que tu penses.

J'écoutais ce que j'étais en train de dire et je me demandais pourquoi je parlais ainsi. Tout cela m'échappait, tous ces mots-là dépassaient ce que je pensais vraiment. Tous les autres, qui connaissaient notre histoire, n'osaient pas se mêler à la conversation. Le silence se fit, pesant, lourd comme une tête qui tombe de sommeil. Et j'avais justement le goût de tomber endormi pour me réveiller une dizaine de minutes plus tard et faire mine d'avoir parlé dans mon sommeil, de ne pas être responsable de ce que je venais de dire.

Pourquoi ?

— Peux-tu m'expliquer pourquoi j'ai dit ça ?

C'est ce que je demandais à Caroline quelques minutes plus tard devant le sandwich que je grignotais sans appétit dans le bruit et la musique collante de la cafétéria.

— Ça doit être parce qu'elle t'a déjà fait mal.

— C'est pas une raison pour s'arracher les yeux.

Je m'en voulais. Terriblement. Je me détestais.

J'ai continué à me détester davantage quand j'ai entendu tous les racontars qui circulaient à mon sujet.

— Il veut être le chouchou de Moins-Cinq !

— Il veut que tout soit fait à son idée !

— Woody est amoureux du prof.

— Maudit François. Il laisse jamais les autres parler.

Pourtant tout cela était faux. Pas tout à fait, mais presque entièrement faux. Je ne voulais que participer. En fait, je voulais que tout fonctionne, je désirais qu'on monte un spectacle dont je n'aurais pas honte. Je pensais aussi qu'un *brainstorming* était un endroit où on pouvait s'exprimer librement. J'espérais m'exprimer.

D'autres profitaient des *brainstormings* pour roupiller un peu. Si on leur avait fourni un oreiller, ils auraient été satisfaits. Il ne leur manquait que le soleil et la botte de foin.

D'autres se laissaient entraîner au fil des idées. Ils attendaient que quelque chose de génial se passe, comme si le génie tombait du ciel soutenu par un parachute arc-en-ciel.

Moi, le spectacle m'intéressait. Le voyage aussi. Paris.

J'aimais que Diane nous fasse entendre des chansons françaises, de ces vieilles chansons qui se promènent sur les quais. J'aimais aussi quand elle nous proposait des livres à lire. J'ai lu par hasard *Le Manuel de Saint-Germain-des-Prés* de Boris Vian, le premier des vrais fous. Sans oublier Jacques Prévert qui pouvait apparaître n'importe où, la cigarette collée aux lèvres, prêt à raconter d'une voix calme un de ses poèmes tout en clins d'œil où les hommes ressemblent à des baleines un peu gauches dans la rue d'aujourd'hui et où les enfants qui rêvent ont raison de tout. Parce qu'ils volent comme les oiseaux qui deviennent des porte-plume au-dessus de la niaiserie humaine.

Je raconte tout ça. Je me plains. J'étais une victime aux larmes de crocodile. Nous nous sentions tous victimes d'être impuissants à inventer quelque chose qui nous séduise.

Petit groupe d'élèves cancres et entêtés, nous étions en train de nous livrer une petite guerre personnelle. Des petites guerres personnelles. Il a fallu partager les rôles.

Finalement, je ne sais plus qui a eu l'idée du mur plein de trous d'où sortent les souvenirs du personnage principal qui se cherche.

— Et pourquoi pas deux trous, comme deux yeux ? ai-je demandé.

— Oui, a ajouté Luc. Deux yeux avec des lunettes.

— Et si le mur était un gros cœur.

— C'est ça, un cœur à lunettes.

— Avec un œil pour le passé.

— Un autre pour le futur.

Nous commencions à vibrer sur les mêmes cordes. Le présent commençait à ressembler à un projet, à tout ce qu'on lance devant soi, à tous les ponts que l'on tend et qui vont nous aider à marcher et à vivre.

Parfois nous philosophions comme des crétins qui inventent le monde. D'autres fois, nous devenions des fous. Toujours un peu surréalistes.

Je nous vois encore. Nous étions tout petits, tout petits avec notre imagination, nos idées, nos tics et nos claques. Mais nous avancions. Comme au cinéma, nous saurions bien grossir, devenir des gros plans terribles. Diane croyait en nous.

C'est dans le délire que nous avons inventé notre pièce. Notre vie rapiécée avec sérieux et humour, avec nos bonheurs et nos malheurs, avec tout ce que nous gardions en dedans de nous et que nous osions enfin lancer aux quatre vents.

Il n'y avait plus de personnage principal. Ou plutôt il y en avait un.

Mais il y avait vingt-cinq têtes, vingt-cinq lampes de poche pour s'éclairer et éclairer les autres têtes, vingt-cinq escabeaux, sur lesquels nous pouvions nous élever ou derrière lesquels nous pouvions faire mine de nous dissimuler. Vingt-cinq fois notre personnage était vêtu d'un pantalon noir, de *runnings* et de bas blancs. Il n'y avait que la couleur des t-shirts qui variait. J'étais là, avec ma tête qui était celle qu'il fallait. Surtout pas belle mais assez sympathique.

J'étais là et, pour les chansons, il y avait surtout Emmanuelle Dupras qui a la voix de Marjo, mais qui tremble comme une feuille chaque fois qu'elle doit chanter devant le monde.

* * *

Les Américains appelaient la chose *Candid Camera*. Chez nous, ce sont *Les Insolences d'une caméra*. En France, c'est *La Caméra cachée*. Le principe est toujours le même : placer quelqu'un dans une situation ridicule et le filmer.

Ce sont les Français qui en ont eu

l'idée. Je le jure. Moi, je me serais contenté de me promener sur les quais et de regarder les péniches sur lesquelles vivent les gens.

Sur les cordes à linge, des vêtements de tous les jours se balancent. J'ai même vu un bonhomme heureux qui lisait une bande dessinée à son fils assis sur ses genoux. Vrai. Moi, je me serais contenté de regarder la Seine tout seul. Mais on avait promis. C'est à cause de la caméra que tout a commencé.

Bertrand a remarqué que Luc ne pouvait faire deux pas sans braquer quelqu'un avec son œil mécanique. Alors il a proposé un truc qui marche à tout coup. Bertrand est un comédien superbe. Élastique comme un clown, il peut se transformer en clochard, le temps d'une grimace. En tout cas, il a réussi à faire disparaître son bras droit. Là il avait l'air d'un manchot. Un vrai manchot. Et Luc d'un touriste assoiffé d'images.

Sur le Quai des Grands-Augustins, Bertrand accoste un homme et une femme. Ce sont deux vieux très paisibles. Il leur demande s'il leur est possible d'attacher sa basket dont le lacet pendouille dangereusement.

Le bonhomme se méfie. Il n'aime pas se pencher pour rien. Il serait humilié d'attacher le lacet d'un autre homme, fût-il manchot. « Les manchots ont sûrement des trucs », pense-t-il. Il a mille fois raison, ce brave homme. Le manchot qui est devant lui a une seconde main dans son sac.

La bonne femme, elle, se laisse attendrir. Elle se penche, attache délicatement le lacet. Elle a presque peur de faire mal à ce fragile jeune homme. Ce malheureux jeune homme qui, pour la remercier, lui tend la main qu'il dissimulait si adroitement.

D'abord, la dame ne comprend pas. Puis elle se rend compte qu'elle a été filmée. Danielle, Alice, Caroline et moi sortons de nos cachettes.

Il faut recommencer. C'est trop drôle. Je fais mine d'avoir mal à la tête. Un vieux truc.

— Continuez à vous amuser, moi je rentre à l'hôtel.

Caroline veut m'accompagner.

— Non, non. Reste avec les autres. Moi, je rentre. Je vais m'étendre.

Quel menteur, je suis !

Je rentre à l'hôtel et je m'installe devant la télévision. J'attends. Je regarde une émission qui ne m'intéresse même pas. J'attends.

Et Anik arrive. Je savais bien qu'elle entrerait tôt. Je l'avais entendue en parler.

— Qu'est-ce que tu fais là ?

Je choisis de lui dire la vérité.

— Je t'attendais. Toi ?

— Je viens prendre une douche.

Elle s'arrête.

— Pourquoi tu m'attendais ?

— C'est ce que je me demande. Je comprends pas.

6
un bouchon sur l'océan

LE VRAI FESTIVAL

Jeudi, 12 mai, vendredi, 13 mai, samedi, 14 mai et dimanche, 15 mai.

Quand le moment de jouer approche, c'est le grand vide, comme si tout ce que l'on avait fait pour atteindre le moment présent s'éteignait. On a l'impression que le temps s'envole et que l'attente ne finira jamais de nous torturer.

Nous avons assisté aux pièces des autres. Dans la salle, nous nous sentions étrangers. Quand notre tour arrive enfin, nous ne sommes plus à Paris, New York, Montréal ou Bon-Pasteur-des-Laurentides. Nous sommes nulle part.

Les yeux du public attentif sont rivés sur nous. Chacun de nos mouvements est épié. Dans l'épaisseur du silence, nous entendons nos voix se faufiler. Nous percevons surtout le souffle de ceux qui nous regardent.

Et quand ils applaudissent, à la toute fin de la dernière musique, nous éprouvons la sensation merveilleuse d'avoir gagné.

Mme Labelle vient nous rejoindre sur la scène. Nous saluons. Nous n'avons pas le mouvement d'ensemble de ceux pour qui les ovations sont une habitude. Les critiques diraient que c'est certainement là la seule partie du spectacle qui est défaillante.

Nos copains nous attendent dans la salle. Le champagne mouille notre triomphe. ■

« La sensation merveilleuse d'avoir gagné. » Rien ne résiste au délire du chef de pupitre. Bon-Pasteur et les Laurentides au complet peuvent se compter chanceux d'avoir un tel poète sur leur territoire. D'autant plus qu'il s'agissait d'un festival amical où aucun gagnant n'allait être proclamé.

« Le champagne mouille notre triomphe. » *L'Écho des Pays d'en haut* dégouline de champagne. Clément Gauthier en a plein la cravate. Ce n'est pas grave, elle en a l'habitude.

Non, vraiment, pendant les jours du festival, j'étais de la même famille qu'un bouchon sur l'océan.

L'autre bout du monde nous semble souvent tellement loin, tellement différent. Pourtant... Nous sommes tous un peu pareils. Différents mais semblables.

Nous avons assisté aux ateliers des autres troupes. Nous avons vu les répétitions des autres groupes. Eux aussi ils devaient s'ajuster. Je ne suis pas le roi des trous de mémoire. D'autres aussi peuvent se tromper.

Mais je ne sais pas si tout le monde est aussi à l'envers que moi dans sa vie.

Dans *La Craque au cœur*, nous avons écrit une chanson dont le refrain raconte ceci :

Dis-moi la vie qu'il fait
Chez toi
Dis-moi l'amour qui bat
Chez toi
Dis-moi le temps qui vient

Et va
Dis-moi si la jeunesse
C'est ça

Nous la chantons en chœur. Mais j'ai souvent le cœur à l'envers. En fait, je ne sais plus où donner de la tête. Je ne sais plus où donner du cœur.

Anik est là. Je n'avais rien oublié. Tout au long de ma quatrième année de secondaire, j'avais tellement voulu qu'elle me remarque, j'avais tellement espéré qu'elle m'aime.

Souvent je me demande si quelqu'un pourra m'aimer un jour. Le coup de foudre ! La fille qui en me voyant ne se souvient plus de l'endroit où elle se rendait. La fille qui en se couchant ne peut plus rêver, ne peut plus dormir. Elle ne fait que penser et repenser à François Gougeon, l'irrésistible. Elle imagine mon visage qui se penche sur elle, mes lèvres qui l'effleurent. C'est impossible tout ça ! Et comment se fait-il que moi j'aime tout le monde ? Pas nécessairement tout le monde, mais toutes les filles. Enfin presque toutes les filles. Il suffit qu'il y en ait une qui me sourie pour que je sente tout ce qui bat à l'intérieur de mon corps devenir mou comme de la guenille.

Allô, allô, les filles. Ici, François Gougeon, votre plus grand amoureux, celui qui pourrait vous chanter des chansons s'il avait la voix juste, celui qui pourrait vous faire danser jusqu'aux petites heures du matin s'il savait se déplacer sans vous écraser les pieds, celui qui pourrait vous embrasser des nuits entières s'il n'était pas gêné comme quelqu'un qui ne sait plus comment se placer les orteils dans ses souliers. Allô, allô, les filles. Je vous aime comme un fou, mais.... il y a un « mais ». Toujours. Mais j'aime Anik. Je pense que j'aime Anik. Je retombe en quatrième secondaire. Je refais les mêmes gestes. Cette fois-ci, par contre, j'ai peur. Je suis certain de me casser le nez. Et me casser le nez, ça veut dire un gros accident, vous pouvez me croire.

Je raconte tout cela et je ne sais plus si j'aime encore Caroline. Elle ne m'a rien fait pourtant. Mais moi je prends mes distances, je regarde ailleurs.

Surtout que nous avons été avertis. Clairement avertis. Pas d'histoires d'amour. Le voyage n'était pas une lune de miel.

La veille de notre représentation, Bertrand nous a invités chez lui. Petit party en perspective.

* * *

Pas facile de répéter. Un texte, ça s'apprend par cœur.

Chacun avait ses bibites. Mais il fallait penser à présenter cela. Je veux dire que ça soit présentable. Par là, je veux parler du sujet de notre pièce. Il ne fallait pas que ça fasse dresser les cheveux sur la tête de notre auditoire.

C'est ainsi que j'ai appris que j'étais cruel, parfois. Je ne m'en serais jamais douté.

Quand je parlais de mes parents ou de ce que je pensais vraiment au plus profond de moi, certains me disaient :

— Voyons donc, c'est pas un cauchemar qu'on veut présenter.

— Non, mais on peut le rendre drôle.

— Tu trouves ça drôle, toi ?

Pour être drôle, je me suis mis à parler de mes boutons en imitant les Schtroumfs. Je changeais le mot « bouton » par le mot « ouach ! ».

Mais, quand d'autres joueurs sont entrés dans le jeu, chacun parlait de ses bibites en faisant ouach. Il y a Caroline qui disait ouach pour « cheveux gras » , Simone Rouillard qui disait ouach pour « professeur ». Stéphanie Lachapelle qui disait des ouachs pour tout et pour rien.

Bon. On a été des ouachs... Puis on est passés à autre chose.

Sur les ouachs, tout le monde s'est entendu. Je dirais que ça a été le vrai commencement de la bonne entente.

Mais il fallait penser aussi que les gens qui nous regarderaient seraient des mecs et des nanas. Autrement dit, il fallait que nous soyons compris.

Je me souviens du monologue de Pierre Jodoin sur les téteux.

— Moi, ce qui m'écœure dans la vie, c'est les téteux.

En France, les téteux existent. Mais

ils se cachent sous un autre nom. Alors Pierre-Paul Bernier a décidé de se nommer dictionnaire. Un dictionnaire qui explique ce que sont des téteux.

— Des peigne-culs... des lèche-culs...

Au fur et à mesure que notre pièce se développait, nous inventions des moyens de communiquer nos bibites. Et plus ça allait, plus j'avais l'impression d'aimer tout le monde. J'oubliais presque mon amour pour Caroline. Elle devenait une partie du grand tout de mes amours. C'est bête comme ça.

Diane nous posait des questions. Elle prétendait qu'elle ne connaissait pas les réponses. Mais, d'une question à l'autre, elle les provoquait. À la fin, plus personne ne pouvait dire qui avait imaginé quoi, qui avait eu l'idée de ceci ou cela. *La Craque au cœur* devenait un bloc. Un bloc solide qui nous ressemblait, qui nous rassemblait, qui nous appartenait.

* * *

Caroline était seule dans son coin.

Presque réfugiée à l'extérieur de la musique. Presque partie. On aurait pu la croire très fatiguée. Elle avait de la peine.

Bertrand s'en était approché. Il l'avait entraînée au centre du salon trop luxueux dont il avait roulé le tapis. Ils dansaient pressés l'un contre l'autre. Ils avaient l'air de deux danseurs de n'importe où. Quand on s'embrasse, on est tous pareils. Que l'on soit de Paris ou de Bon-Pasteur-des-Laurentides, un bec est un bec, un baiser reste un baiser.

Caroline me semblait aux antipodes de la Caroline que j'avais connue l'année dernière. Maintenant, elle était belle, elle savait même comment serrer l'autre dans ses bras sans lui donner l'impression qu'elle allait le manger, l'engouffrer, le faire disparaître à tout jamais. Depuis la fin de l'été, elle avait changé. Ce soir-là, sa peine lui donnait une tendresse sombre, presque séduisante.

Pourquoi la vie rapproche-t-elle les gens ? Pourquoi les éloigne-t-elle ? Je ne le sais pas. Ça ne doit pas être une question d'âge non plus. À la poly, presque la majorité des parents des élèves sont séparés ou divorcés. Moi, j'avais l'impression de vivre exactement la même chose. Je voyais celle que j'avais aimée, celle qui était venue au cinéma avec moi, celle qui avait même écouté Mahler, Chopin, Schubert avec moi. Celle avec qui j'avais fait l'amour. Même que ses parents ne me l'avaient jamais pardonné quand ils nous avaient surpris. Pourquoi s'étaient-ils cachés dans un coin de la cave aussi ? Pourquoi nous épier alors que nous regardions un vidéo ? Ils nous avaient surpris. Ils me considéraient comme le coupable. Pourtant, quand on fait l'amour, on n'est pas seul. Maintenant, je la voyais dans les bras de Bertrand. Si nous n'avions pas été aussi nombreux, qu'est-ce qu'ils auraient fait ?

Je regardais Anik. Elle me souriait. Elle laissait ma main voyager dans ses cheveux courts, dans son cou, contre ses seins. Mais elle ne faisait rien pour répondre à mon appel.

C'est peut-être pour cette raison-là que j'ai un peu bu. Pour cette raison-là ou d'autres, allez savoir. En tout cas, j'aimais le goût du vin. Il me semblait n'en avoir jamais bu du meilleur. J'étais assis sur un fauteuil beaucoup trop mou. Mes genoux allaient me passer par-dessus la tête.

J'avais bu. Un peu. Certainement un peu trop. Mais je n'étais pas le seul. Je crois bien que Caroline aussi avait un peu trop bu. J'aurais aimé savoir pourquoi, au beau milieu de la soirée, elle a décidé de venir se planter devant moi. Elle m'a regardé comme si je lui avais dit quelque chose de très désagréable. Et elle m'a déclaré, comme ça :

— Tu vois, François, je suis capable de me débrouiller toute seule, maintenant. J'ai plus besoin de te courir après.

Et l'imbécile que je suis a répondu :

— Je suis content pour toi, Caroline. Je suis sûr que t'as pas fini d'en casser des cœurs.

Là, si je n'avais pas tant bu, j'aurais eu assez de réflexes pour éviter sa gifle.

Quand j'y repense, je revois toute la scène comme au ralenti. Normalement, j'aurais pu me baisser et tout aurait repris sa place. Mais voilà, j'étais trop rond pour me baisser, trop gris pour prévoir quoi que ce soit.

Si elle avait été sobre, Caroline m'aurait frappé d'aplomb. Mais voilà, elle a manqué son coup. En fait, elle ne m'a accroché que le nez. Cible assez volumineuse, je sais, mais quand même. Je n'aime pas saigner du nez. La chose m'arrivait fréquemment quand j'étais jeune. C'était parce que je manquais de vitamines. Ce soir-là, c'est parce que je n'avais pas assez d'amour pour aimer Caroline. De toute façon, c'est mon nez qui a encaissé le coup et il a fallu un paquet de kleenex pour absorber le sang qui coulait comme tout le vin que j'avais bu avait dû couler du tonneau.

Quand Bertrand est revenu des toilettes où je ne l'avais pas vu aller, des copains et des copines lui ont tout de suite raconté la scène. Disons que tout cela a jeté un certain froid.

Bertrand ne se doutait même pas

que Caroline était ma blonde. Il n'arrêtait pas de s'excuser.

Le moment plus dramatique s'est déroulé juste après. Quand les parents de Bertrand sont rentrés. Ils devaient être partis pour le week-end en Normandie. Bon. Ils avaient eu un appel, la mère de madame était souffrante. Une longue histoire pour dire qu'ils avaient la figure longue comme ça. Des amis de théâtre de leur Bertrand — j'aurais juré qu'ils n'appréciaient pas le théâtre amateur étudiant — et des Québécois — ils n'appréciaient certainement pas le Québec — avaient envahi leur demeure. Ils n'appréciaient pas la pauvreté.

Nous nous sommes éclipsés en douce. Moi, le nez dans des kleenex, Caroline les yeux comme des érables du printemps, et tout et tout. Pour une fois, Luc n'a pas filmé la scène.

Pas plus qu'il n'a filmé notre retour à l'hôtel. Le chemin le plus long du monde. Et j'avais mal au cœur. Et j'avais envie de pisser. Et je voulais m'arrêter partout.

Pour une fois, nous avons été complices. Nous regardions dans la même direction. J'étais sorti de la maison sur mes deux pattes. Maintenant, le ciel de Paris me paraissait fourmillant d'étoiles filantes. Pourquoi aussi les maisons, ces bâtisses qui avaient tenu quelques siècles, chambranlaient-elles comme cela ? J'aurais bien aimé le savoir.

Luc m'a presque porté sur ses épaules. Lui, il avait juste un peu bu. J'étais encore trop lourd pour lui. Trop lourd et trop soûl.

La nuit, je n'ai pas dormi beaucoup. Les toilettes me semblaient à l'autre bout du monde. J'avais le foie en compote. Le vin était bon, mais son arrière-goût désastreux.

Dans la chambre, personne n'a pu dormir. Et, le lendemain, nous jouions *La Craque au cœur*, mal au cœur ou pas.

* * *

L'envie de pipi me tenaille. Pourtant je sors des toilettes. Le trac est la chose la plus stupide du monde. J'ai l'impression d'avoir la vessie pleine comme un clochard qui dort près d'une bouche de métro. Si ça continue, ça va me sortir par les oreilles.

Je ne suis pas le seul dans cet état-là. Personne ne tient en place. Même Diane Labelle est nerveuse comme je l'ai jamais vue. Je voudrais mourir. Nous voudrions tous que le toit du théâtre s'écroule. Et si c'était possible, nous pourrions crier. Il n'y a plus moyen de reculer. Chacun a son pantalon noir, ses *runnings* blancs, son t-shirt. Chacun porte sa lampe de poche à sa ceinture. Chacun a la main sur son escabeau. Encore une minute et nous entrons en scène.

Jacques Garand nous apprend que la salle est pleine. Nous aurions préféré ne pas le savoir. Nous ne voulons plus rien savoir. Soudainement le silence s'installe. Complètement. Nous écoutons battre nos cœurs. C'est la dernière musique. Et comme s'il comprenait la chose, Jean-Philippe vérifie très doucement si sa guitare est toujours accordée. Ça y est. C'est à nous !

Nous entrons dans le silence le plus

total. Il me semble que jamais silence n'a été aussi profond, aussi lourd. Et puis, Pierre-Paul pousse son cri de Tarzan. Et la guitare enchaîne. Et les filles se mettent à danser. Nos lampes de poche sont allumées. Le public est là. Je l'entends respirer. Moi aussi, je reprends mon souffle. Il faut maintenant meubler le silence de nos paroles, de nos chansons, de nos danses, de nos espoirs.

* * *

Chaque fois, c'est pareil. Et chaque fois, c'est comme si nous vivions ces moments pour la première fois. *La Craque au cœur*, nous l'avons déjà présentée à la poly, devant les élèves du premier cycle, puis du deuxième... puis devant nos parents... puis à Oxyjeune, au cégep Maisonneuve à Montréal. Et ce soir-là, c'était Paris.

Quand je parlais, je savais ce que signifiait chaque mot. Je reconnaissais les gestes que nous avions répétés tant de fois. Et je me demandais si ma vie ne serait pas toujours une route vers cette sensation unique, celle de connaître ce trac fou, de le vivre, et de me libérer en parlant.

En entrant à la maison, le soir de notre première représentation à la fin février, j'avais dit à ma mère.

— Je veux aller en communications.

— Pourquoi ?

— Parce que c'est ça que je veux.

— T'as pas encore essayé autre chose. Réfléchis, tu as le temps. C'est pas parce que tu fais un peu de théâtre que ça va devenir ta vie.

Ma mère me voyait avocat ou médecin, ma grand-mère aussi. Mon père, le notaire Marcel Gougeon trouvait que le notariat n'était pas un si mauvais choix.

— Mais je sais que tu voudras jamais devenir notaire.

— Qu'est-ce qui te fais dire ça ?

Mon père m'a regardé. Il a encore souri. Je commençais à me demander s'il ne devenait pas philosophe.

— Parce que ton père est notaire. T'imagines-tu que j'ai voulu devenir croque-mort, moi. Jamais dans cent ans. J'avais assez de voir mon père dans son salon mortuaire.

Et Omer qui me demande :

— Toi, François, tu veux pas prendre la relève. Tu sais, j'en ai pas pour une éternité, moi.

— Laisse faire, Omer. Moi non plus je veux pas devenir entrepreneur de pompes funèbres. Je veux aller en communications.

— C'est dommage. Va falloir que je trouve à vendre mon salon. À moins que je le laisse mourir.

Un vrai pince-sans-rire, mon grand-père. Il prend ensuite le temps de me regarder comme s'il évaluait mon profil. Plus que jamais il doit vraiment se rendre compte que j'ai son nez, sa mailloche qui s'avance. Le signe que je suis un Gougeon vrai de vrai. Il n'y a que mon père dont le nez fasse exception.

— Sais-tu, François, je te regarde là...

Qu'est-ce qu'Omer Gougeon va encore me sortir ?

— Les communications, c'est pour devenir annonceur de radio, animateur de télévision, comédien ou quelque chose comme ça ?

— Ouais.

— Comme t'es pas laid, je suis sûr que tu vas avoir la tête de l'emploi.

Personne ne réagit. Toute la famille sait très bien à quoi je ressemble. Il n'y a qu'Omer qui ne s'en est pas encore aperçu. C'est d'ailleurs pour ça que ma mère m'imagine chirurgien.

Moi, j'ai des faiblesses dès que je vois une goutte de sang.

Mais ma mère doit savoir qu'un chirurgien, ça porte un masque.

Et puis, je me trompe complètement. Au fond, ma mère sait qu'un chirurgien, ça fait de l'argent. Énormément d'argent.

Vraiment, sur mon avenir, nous ne nous entendons pas. Ma mère voudrait que je choisisse le cégep le plus neutre qui soit. Moi... eh bien, moi, pour le moment, pour oublier le futur qui s'en vient comme le paysage saute dans la face d'un motard, je veux jouer *La*

Craque au cœur. Je m'inscris à plusieurs cégeps. J'attendrai de voir s'ils m'acceptent. Cela ne devrait pas être compliqué. J'ai les notes. Mais sait-on jamais ?

* * *

— J'aimerais être quelque chose comme un baiser sur les yeux d'une fille que j'aime. Très souvent, je ne suis qu'une pichenotte derrière l'oreille d'un passant qui s'est assis là, devant moi, pour un instant seulement. Je ne suis qu'une pichenotte aussi agaçante qu'une mouche qui vous suit jusque chez vous.

Pierre-Paul, toujours dans son rôle de dictionnaire, explique rapidement qu'une pichenotte, c'est une pichenette.

Encore un numéro. Celui de Caroline. Elle est triste, mais ça ne paraît pas. Elle joue avec tellement de force que les veines de son cou se gonflent.

Et puis nous enchaînons avec la chanson finale.

Je danse, moi aussi. Moi qui ai toujours éprouvé des difficultés à mettre un pied devant l'autre sur de la musique. Pour moi, la musique a toujours été tellement intérieure. C'est une danse de l'âme. Je ne dirais jamais cela devant Stéphanie Lachapelle, elle me traiterait de *heavy*.

Mais là, malgré tout, je danse. En tout cas, parmi les autres, je me perds, je me glisse. On ne saura jamais que je ne sais pas danser, que je cherche à accorder mes jambes avec les rythmes. Je remarque chacune des fausses notes. J'ai l'oreille, oh oui, j'ai l'oreille. Mais je me fous éperdument des fausses notes. Je compte les temps. Nous levons nos lampes de poche et les pointons vers l'assistance.

C'est l'ovation. Pourquoi se lèvent-ils ? Nous n'en attendions pas tant. Ou plutôt, c'est ce que nous espérions au plus profond de nous-mêmes, mais nous n'osions pas y croire. On nous avait tellement dit que les Français ne croyaient qu'en ce qu'ils faisaient.

Et cette fête, après. Avec du champagne. J'ai l'impression qu'il ne traversera jamais ma gorge. Qu'il reste coincé quelque part. Mon foie se souvient d'hier. Caroline aussi. Elle me regarde à peine. Je tente de glisser ma main dans celle d'Anik. Elle se défile.

Ma mère disait toujours qu'il ne fallait pas courir deux lièvres à la fois. Je me sens tortue. Une tortue torturée.

— Formidable, mon vieux. Formidable.

C'est Bertrand qui me félicite. Il me serre dans ses bras. Je me laisse faire. Luc a encore sa caméra braquée sur moi.

Il ne recule devant aucune illusion.

— Ça va être extraordinaire, vieux.

— Quoi ?

— Mon reportage sur la tournée. Je vais le vendre à une chaîne de télévision.

Quand Luc Robert parle d'une chaîne de télévision, ce n'est pas une chaîne communautaire qu'il a dans la tête. Oh non ! C'est la grande télévision.

Il commence à m'énerver joliment. J'ai hâte qu'il décroche.

7
au revoir, pays des ancêtres

LA FIN HEUREUSE

Lundi, 16 mai.

Toute bonne chose a une fin. À l'aéroport Charles-de-Gaulle, nous nous sentons tristes de quitter ce pays. Plusieurs d'entre nous se promettent déjà de revenir. Mais il fera bon retrouver nos familles et nos amis d'ici.

François Gougeon

Clément Gauthier est un croûton de pain imbibé de sauce Tabasco. Jamais de ma vie j'écrirais une phrase aussi nouille que « toute bonne chose a une fin » . Les bonnes choses devraient durer longtemps. Et partir, c'est triste.

La larme à l'œil. C'est triste à mourir de devoir partir quand il nous semble que tout ne fait que commencer. Par les vitres du car, on regarde filer les Grands Boulevards. Le soleil arrose tout. Ça nous rend encore plus tristes. Au moins, sous la pluie, ça paraît moins quand on chiale. Personne ne parle vraiment. Quelques-uns osent à peine chuchoter. Ce retour nous assomme. Pas tous. Stéphanie Lachapelle, qui trouvait qu'on mangeait mal, a hâte de déguster le pâté chinois et le spaghetti de sa mère. Nous imaginions que le voyage durerait une éternité. Nous étions prêts à rejouer notre pièce des centaines de fois encore. Nous avions tout à découvrir.

Je déteste l'espèce de fatalité qui veut que toute bonne chose ait une fin.

Nous enregistrons nos bagages à l'aéroport Charles-de-Gaulle. L'opération nous semble infiniment plus longue que lors de notre départ de Mirabel. Mais nos familles ne sont pas là pour nous harceler.

Ensuite nous attendons. Diane nous a demandé de ne pas nous éloigner. Nous restons dociles. Elle n'aime pas les discours. Je le sais. Elle se permet quand même de nous adresser la parole pendant que nous sommes là. Elle sait qu'à Mirabel il sera trop tard pour parler. Ce seront les grandes retrouvailles, l'épouvante et tout.

— Vous savez, l'année s'achève. Votre secondaire aussi. L'an prochain, vous allez tous être ailleurs. Il y en a peut-être parmi vous qui vont se revoir. D'autres se côtoieront plus jamais. C'est comme ça, la vie. Mais je dois vous dire que je suis fière de vous. J'ai rien à redire. Je sais pas si vous allez tous avoir votre diplôme, mais je sais que vous avez gagné quelque chose cette année. Vous avez appris à vous écouter. Au début de l'année, vous formiez des petits îlots dispersés. Aujourd'hui, après tout ce qu'on a vécu, on forme un noyau plus gros, plus solide. On est unis parce qu'on a réalisé un projet ensemble. Tant mieux si notre pièce a eu du succès. Mais, moi, tout ce que je voulais c'est qu'on réalise quelque chose ensemble. Si je faisais de la morale, je vous dirais que c'est ce que tous les humains devraient viser. Mais je suis juste un prof de français qui a essayé de vous donner ce qu'elle pense qu'il y a de mieux pour votre futur.

On l'applaudit. On commence à être gavés d'applaudissements.

Nous avons deux heures à tuer avant de monter à bord de l'avion. Et puis sept heures de vol. Si nous pouvions les sauter, nous le ferions sans hésiter. Les retours, c'est toujours trop long.

Je sais que je ne dormirai pas. Je ferme les yeux quand même et je revois notre projet. Notre voyage. Diane Labelle avait raison. L'avion peut tomber, je suis prêt à mourir avec les autres. À ce moment précis, je ne voudrais jamais être le seul survivant de toute cette affaire-là. Mais les avions ne tombent pas comme ça. Nous décollons.

Nous pouvons déjà ajuster nos montres à l'heure du Québec.

J'ai regardé Paris une dernière fois,

ce matin. Mais je sais que nous nous reverrons. Ce n'est que partie remise.

Il suffirait de presque rien pour que je tombe amoureux de l'hôtesse qui s'occupe de ma section. Elle a des yeux bleus et un chignon blond à me faire manger la paire d'écouteurs qu'elle m'a tendue. Plus tard, après le dîner, je n'ai pas envie, mais je me rends quand même aux toilettes. Il y a une file. Je peux patienter tout le temps qu'il faudra. Je la regarde. En compagnie du steward et de l'autre hôtesse qui est mille fois moins sexy qu'elle, elle met un peu d'ordre dans les plateaux sales qu'elle a ramassés. Je pourrais lui dire :

— Je vous aime et je suis libre.

Elle me répondrait certainement :

— Moi pas.

— Vous n'êtes pas libre ?

— Oui, mais je ne vous aime pas.

C'est pour cela que je garde mon grand amour naissant pour moi tout seul et que je reste libre.

* * *

La veille, toutes les troupes ont fêté

jusque tard dans la soirée. Bertrand, Alice et Danielle voulaient m'emmener au Père-Lachaise. C'est le cimetière le plus populaire de Paris. Je n'avais pas le goût de marcher sur le ventre des morts. Bertrand m'a offert un disque. *Le Boléro* de Ravel. J'ai pensé à Sylvester Stallone. Je ne le lui ai pas dit, il n'aurait pas compris.

Nous sommes entrés un peu ivres peut-être. Et moi, j'ai attendu que tout le monde dorme. Je me suis levé, habillé et, à pas de loup, je me suis dirigé vers la porte.

— Où est-ce que tu vas, Woody ?

Luc ne dormait pas. Il avait les yeux ronds comme des billes. C'était normal après le malheur qui venait de lui tomber sur la tomate.

— Me promener. Dors.

— J'peux pas. J'y vais avec toi.

— Bon. O.K.

Luc s'est habillé. Moi, je voulais voir Paris pour la dernière fois. Me rendre doucement jusqu'à la Seine, voir les péniches à la cabine illuminée. Luc aussi voulait peut-être voir Paris. Avec sa damnée caméra, il n'avait profité de rien. Tout ça pour se rendre compte que la moitié de son matériel était bousillé. Et que son appareil était défectueux. Il n'avait pas su se contenter d'une bonne vieille trente-cinq millimètres. Il avait joué au pro et, encore une fois, il était en panne. Et il s'était fâché avec Andréa parce qu'elle avait trouvé la situation très drôle. Luc ne comprendra jamais qu'il est de la race des clowns.

Nous avons marché. J'ai pissé dans la Seine, sous un pont, comme si j'avais voulu laisser un peu de moi dans cette eau brune.

Tout cela a fait rire Luc qui ne s'attendait vraiment pas à me voir aussi plein de manières. Je l'ai traîné Place Dauphine, puis Quai des Orfèvres, devant l'édifice de la Police Judiciaire où le commissaire Maigret mène ses enquêtes.

— C'est qui ça, Maigret ?

— Un détective, Luc. Un personnage de Georges Simenon.

— Ils ont pas fait des émissions de télévision avec lui ?

— Oui, je pense. Mais il a surtout écrit des livres.

Luc hausse les épaules. Il a encore les images de sa caméra dans la tête. Il faudra bien qu'il les oublie. Il ferait mieux de les laisser ici, sur la table d'un café du boulevard Saint-Germain.

Quand nous entrons à l'hôtel, Luc me tire par la manche.

— Regarde. Moins-Cinq est dans le hall. Qu'est-ce qu'on fait ?

— Je m'en fous.

Diane Labelle, dans un petit fauteuil du hall de l'hôtel, lit tranquillement un roman. C'est un livre de John Irving, *L'Œuvre de Dieu, la part du diable*. Elle lève les yeux.

— Je me demandais où vous étiez passés ?

Je me défends en souriant :

— Avais-tu peur qu'on demande l'asile politique ?

— Non, François. Je sais que tu aimes bien qu'trop le Québec pour ça.

— C'est vrai. Mais le fait d'être venu ici, je trouve que c'est une façon de sortir de sa coquille, tu trouves pas.

— C’est pour ça qu’on est venus. Allez vous coucher, vous serez plus levables demain matin.

* * *

Elle n’a pas dû dormir beaucoup, elle non plus. Dans l’avion elle sommeille pendant tout le film.

À Mirabel, une fois descendus du petit véhicule qui nous transporte vers les douaniers, je jette un coup d’œil vers la mezzanine. À deux heures de l’après-midi, les vitres deviennent des miroirs. Les gens qui nous attendent ont beau agiter les bras, les mains, la tête, on ne peut reconnaître qui que ce soit.

C’est dans l’attente de nos bagages que je vois la sainte Famille au grand complet. Mon père, ma mère, grand-mère et Omer.

J’ai du mal à retenir les larmes qui me montent aux yeux. Je m’en veux d’être aussi bébé.

On m’embrasse, on me lèche, on me demande si le voyage s’est bien déroulé. Ils n’ont reçu qu’une seule carte postale. Je leur dis que les autres ne tarderont pas.

Et puis, ma mère m'annonce la supernouvelle. Marcel Gougeon, mon notaire de père qui a l'allure d'une brosse à dents plus que jamais, a été élu maire de Bon-Pasteur-des-Laurentides il y a deux jours. Le bonheur se pointe enfin. Mes parents ont l'air de s'aimer comme au temps où... où je n'étais pas là, au temps dont je ne peux pas parler.

Patrick Ferland est là. Il attend Anik, un bouquet à la main. Il le tient comme une raquette de tennis. Je me demande s'il ne va pas le lui lancer dans les bras quand elle va apparaître.

Mais non. Il l'embrasse. Ils reprennent la vie au point où ils s'étaient laissés. Hier après-midi, j'ai amené Anik au ciné. Pendant les longues publicités qui précèdent les films, j'ai voulu l'embrasser moi aussi. Elle s'est laissé faire. Et puis, au bout d'un moment, elle m'a doucement repoussé.

— Qu'est-ce que tu as ?

— Rien. Je veux que ça s'arrête là.

J'ai cherché des arguments, je lui ai avoué que je ne comprenais pas, qu'il me semblait que...

Elle a posé son doigt au travers de mes lèvres pour m'empêcher de continuer à dire des bêtises.

— Toi, François, ce que tu comprends pas, c'est que les gens ont parfois envie de s'arrêter, de réfléchir, de...

— Mais c'est ce que je fais tout le temps, Anik. J'arrête pas de me poser des questions.

— Justement. Tu le fais pour toi, pas pour les autres. C'est pas parce que tu crois avoir résolu un petit problème que le reste du monde a plus le droit d'y penser.

— Mais je t'aime.

Elle m'a souri.

— Tu aimes tout le monde. Des fois, moi, je crois que j'aime personne.

Elle a haussé les épaules comme si elle venait de dire une banalité.

Pauline, ma tendre mère, a de la fierté plein les yeux. Elle m'apprend que tous les cégeps où je me suis inscrit m'ont accepté. Il faudra maintenant que je pense à mon futur. Ah ! le futur, c'est toujours un problème !

Caroline ne me regarde même pas

avant d'aller rejoindre ses parents. Eux, ils prennent mille précautions pour ne pas tourner la tête dans ma direction.

C'est le moment de nous séparer. Tout le monde entoure Diane Labelle. Même ses deux filles ont un mal fou à la rejoindre. Elle est pourtant beaucoup trop jeune pour être la mère de tant de monde. On l'embrasse. Elle me serre très fort. Je ne sais pas comment je pourrai la remercier. J'aime Paris, j'aime le monde. Chose certaine, si un jour vous voyez un gros avion passer au-dessus de vos têtes, vous pourrez vous demander s'il y a un raisin dedans. Dites-vous qu'il y en a peut-être un. Moi.

P.S. : J'ai des comptes à régler avec un certain Clément Gauthier, de *L'Écho des Pays d'en haut*. Je me rends à son bureau. La porte est entrouverte. Tout est pêle-mêle. Une petite note indique qu'il est parti dîner. Je place une punaise sur sa chaise et je ne revendique pas mon attentat.

Table

Du même auteur

Albums pour les jeunes

Une fenêtre dans ma tête, première partie, illustrations de Roger Paré, Montréal, La courte échelle, 1979. (épuisé)

Une fenêtre dans ma tête, deuxième partie, illustrations de Roger Paré, Montréal, La courte échelle, 1979. (épuisé)

Clins d'œil et pieds de nez, illustrations de Johanne Pépin, Montréal, La courte échelle, 1982. (épuisé)

Romans pour les jeunes

Monsieur Genou, Montréal, Leméac, 1981. (Prix belgo-québécois 1982.)

Minibus, Montréal, Québec/Amérique, 1985.

Des hot-dogs sous le soleil, Montréal, Québec/Amérique, 1987.

Le Roi de rien, Montréal, La courte échelle, 1988.

Le raisin devient banane, Montréal, Boréal, 1989.

Caméra, cinéma, tralala, Montréal, La courte échelle, 1989.

Véloville, Montréal, La courte échelle, 1989.

La Machine à beauté, Montréal, Boréal, 1991. Traduit en espagnol et catalan. (Prix de l'ACELF 1982.)

Le Record de Philibert Dupont, Montréal, Boréal, 1991.

Le Dernier des raisins, Montréal, Boréal, 1991. (Prix de littérature jeunesse du Conseil des Arts du Canada – texte – 1986.)

Y a-t-il un raisin dans cet avion ?, Montréal, Boréal, 1991.

Le Chien saucisse et les Voleurs de diamants, Montréal, Boréal, 1991.

Romans pour adultes

La Débarque, Montréal, l'Actuelle, 1974. (Prix de l'Actuelle 1974.) (épuisé)

Le Train sauvage, Montréal, Québec/Amérique, 1984.

La Route de la soif, Montréal, Boréal. (À paraître en mai 1991.)

Théâtre

La Couleur chante un pays, pièce écrite en collaboration avec Diane Bouchard, Suzanne Lebeau et Michèle Poirier, Montréal, Québec/Amérique, 1981.

Boréal Junior

1. Corneilles
2. Robots et Robots inc.
3. La Dompteuse de perruche
4. Simon-les-nuages
5. Zamboni
6. Le Mystère des Borgs aux oreilles vertes
7. Une araignée sur le nez
8. La Dompteuse de rêves
9. Le Chien saucisse et les Voleurs de diamants
10. Tante-Lo est partie
11. La Machine à beauté
12. Le Record de Philibert Dupont
13. Le Bestiaire d'Anaïs
14. La BD donne des boutons
15. Comment se débarrasser de Puce
16. Mission à l'eau!
17. Des bleuets dans mes lunettes
18. Camy risque tout
19. Les parfums font du pétard
20. La Nuit de l'Halloween
21. Sa Majesté des gouttières
22. Les Dents de la poule
23. Le Léopard à la peau de banane
24. Rodolphe Stiboustine ou l'enfant qui naquit deux fois
25. La Nuit des homards-garous
26. La Dompteuse de ouaouarons
27. Un voilier dans le cimetière
28. En panne dans la tempête
29. Le Trésor de Luigi
30. Matusalem
31. Chaminet, Chaminouille
32. L'Île aux sottises
33. Le Petit Douillet
34. La Guerre dans ma cour
35. Contes du chat gris
36. Le Secret de Ferblantine
37. Un ticket pour le bout du monde
38. Bingo à gogos
39. Nouveaux contes du chat gris
40. La Fusée d'écorce
41. Le Voisin maléfique
43. Le chat gris raocnte
44. Le Peuple fantôme
45. Vol 018 pour Boston

Boréal Junior +

42. Canaille et Blagapar +
46. Le Sandwich au nilou-nilou

Boréal Inter

1. Le raisin devient banane
2. La Chimie entre nous
3. Viens-t'en, Jeff!
4. Trafic
5. Premier But
6. L'Ours de Val-David
7. Le Pégase de cristal
8. Deux heures et demie avant Jasmine
9. L'Été des autres
10. Opération Pyro
11. Le Dernier des raisins
12. Des hot-dogs sous le soleil
13. Y a-t-il un raisin dans cet avion?
14. Quelle heure est-il, Charles?
15. Blues 1946
16. Le Secret du lotto 6/49
17. Par ici la sortie!
18. L'assassin jouait du trombone
19. Les Secrets de l'ultra-sonde
20. Carcasses
21. Samedi trouble
22. Otish
23. Les Mirages du vide
24. La Fille en cuir
25. Roux le fou
26. Esprit, es-tu là?
27. Le Soleil de l'ombre
28. L'étoile a pleuré rouge
29. La Sonate d'Oka

CE DEUXIÈME TIRAGE A ÉTÉ IMPRIMÉ EN AVRIL 1996
SUR LES PRESSES
DE L'IMPRIMERIE GAGNÉ À LOUISEVILLE (QUÉBEC).